ตื่นบน
เตียงอื่น

ปราบดา
หยุ่น

新しい目の旅立ち

プラープダー・ユン

福冨渉 訳

ゲンロン叢書｜004

genron

ラオス
Laos
タイ
Thailand
ベトナム
Vietnam
カンボジア
Cambodia
フィリピン
Philippines
ヴィサヤ諸島
Visayan Islands
マレーシア
Malaysia
シンガポール
Singapore
ドゥマゲティ
Dumaguete
ヴィラ・マーマリン
Villa Marmarine
シキホール島
Siquijor Island

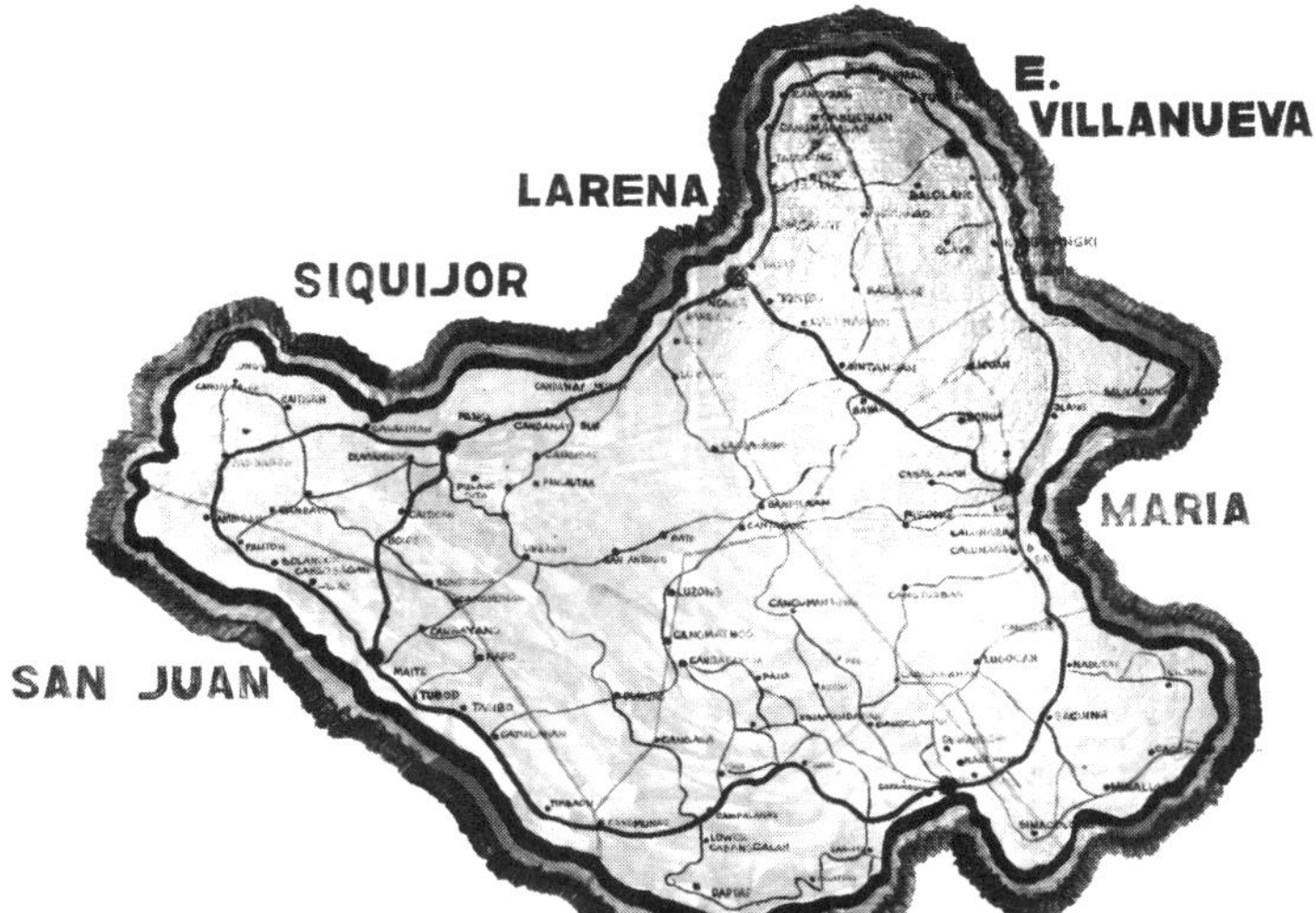

筆者が現地の教会で撮影したシキホール島の地図

凡例

1 〔☆〕は訳注を示す。原注は存在しない。

2 〔 〕は訳者による補足を示す。

3 〔……〕は引用者による省略を示す。

目次

日本語版のための序文

旅について書くことは、ぼくがスムーズに行える作業ではない。『新しい目の旅立ち』の執筆をはじめるまで、自分の旅の経験を誰かに読ませることが、楽しいものだと思ったことはなかった。なにより、たとえぼくが楽しく書いたところで、ぼくと一緒に楽しく読んでくれる誰かがいるとも思えなかったのだ。

ぼくは旅が好きだ。ただ、ぼくの興味は多くの旅人のそれとは違うのだとずっと思っていた。ぼくは「他者」や「外の人間」である状態が好きなのだ。言語が理解できないことや、ぼくと周りの人々のコミュニケーションが不完全である状態が好きで、自分がその土地の歴史や文化に支配されていないことが好きで、意味を求める必要のない見知らぬ風景との出会いに夢中になる。けれども、「観光スポット」や、あるいは食事に対して感動を覚えることは少ない。自分の舌を喜ばせるような繊細さをとりわけ欠いた旅人なのだろう。食べるときは急いで食べてしまうし、なにかを飲むときは喉の渇きを癒やすためだ。そんなぼくの旅のしかたが、読む人にとっておもしろいものになると考えたこともなかった。

フィリピン、シキホール島への調査の旅は、ぼくの思考の大きな転換点だったと言える。だからこそ、ぼくはこの旅を書き起こして、ひとつの形にしようと思うようになった。ひとりの人間の思考における変化は、どんなときでもどんな場所でも起こりうる。だが今回の場合、シキホールでの経験と、フィリピンのさまざまな場所への旅のすべてが、ぼくの哲学的な考察に方向性を与えてくれた。だから、ぼくにとっての『新しい目の旅立ち』は、一般的な手順で残された「旅の記録」ではなく、外的な要因をその駆動力にした「内的」な旅の記録だ。他のこまごましたことよりも、哲学的な部分を多く含んだ自叙伝なのだ。テキスト上のシキホールは、場所というよりも、登場人物にも似た特徴をもっている。その性格、ふるまい、姿形は、他の人たちがこれまで目にしたり経験したりしたシキホールとは異なるだろう。

シキホールは美しい島かと訊かれれば、ぼくは美しいと答える。けれども、シキホールの美しさは、ぼくの思考における変化のプロセスにとってはほとんど重要ではなかった。フィリピンにおけるシキホールの評判は、呪文や魔術師への信仰と結びついている。だから、ぼくの興味は、はじめからシキホールの実体とは関係のないところにあった。ぼくの興味は、連なって人々の信仰となっていった思想や哲学の歴史を向いていた。そのすべてが人間の思想の旅の一部をなしていて、その歴史とは、シキホールという美しくて静かな島で過ごすあいだにぼくが訪れた「場所」や「土地」のことだった。

ぼくの哲学に関する知識や理解は、アマチュアのレベルにすぎない。それゆえ『新しい目の旅立ち』は、「識者」というよりも「知りたがりの人間」による旅の記録であり、哲学エッセイだ。タイ語で出版されるときに、この本が他の言語に翻訳される機会を得るとは考えてもいなかった。それに、それが東浩紀という、ぼくの尊敬する批評家による雑誌で発表されることになるとは、夢にも思わなかった。『新しい目の旅立ち』が『ゲンロン』の紙面に登場できたことに、とても感動している［☆1］。『ゲンロン』は、この作品にもっとも適した「土地」

☆1 『新しい目の旅立ち』は、二〇一六年一一月発行の『ゲンロン4』から二〇一八年一〇月発行の『ゲンロン9』まで六回にわたって翻訳連載された。

だ。それが、ぼくには読み書きできない言語が使われる土地だったとしても。

タイから来たこの「知りたがり」にチャンスを与えてくれた東浩紀さんと『ゲンロン』のすべてのメンバーに、感謝を。そして、タイ文学と日本の隙間を埋めようとやっきになっている翻訳者で文学使節の福冨渉さんに、感謝を。

友情をこめて

プラープダー・ユン

二〇一八年一一月　バンコク

序文

（目を開くまでの時間の来歴）

他人や環境に飽きを覚えたら、ぼくたちは孤独な時間や場所を見つけてそこに逃げこみ、しばらく静かに過ごすことができる。だが、もし自分に飽きてしまったらどうすればいいのだろう。ぼくの経験上、解消法はひとつしかない。飽きの原因になっているなんらかの事実を認めてしまうことだ。そして、それを取り除きたいなら、これまでとは違った視線で世界を見渡す方法を探さなければならない。

あるいはマルセル・プルースト風に言うのであれば「真の発見の旅とは、新しい景色を探すことではない。新しい目で見ることなのだ」。

要は、海も、山も、パブもバーも、国も、あるいは外界にあるどんなものも、退屈な「古い」感情を洗い流してはくれないのだ。自分の中に生まれる新しい感情ほどには。

二〇〇七年。仕事として本を書きはじめておよそ八年、自分の頭の中にあるものに対するぼくの飽きは、ほとんど限界に来ていた。ぼくが八年のあいだずっと使っていた思考のパターン、ものの見方、伝説といったあらゆる素材は、その八年間という枠組みの中で作り上げられたものではなく、それより前の二〇年以上の時間の中で、だんだんと蓄積されたものだった。その二〇年という期間を、言葉を覚えてから学校を卒業するまでの期間と言ってもいいかもしれない。

同じ引き出しを開けては古い持ち物を引っぱり出して、それを使って自分の思いや考えを書いていることに、ぼくはうんざりしていた。リサイクルだけで生計を立てているぼくは知のペテン師なんだという気持ちが、無視できないくらいに心の奥深くまで食いこんでいた。ぼくが明確なアイデンティティと思想をもっていることが、自分のよって立つ足場をかえって揺るがしてしまっていた。病状が徐々に重くなっていくみたいに、治療法を見つけなきゃ、目を取り替える方法を見つけなきゃ、頭の中の電気回路を組み直さなきゃ、と、強く感じるようになった。そのためにはただ「雰囲気を変える」だけでなく、息の吸い方から変えなければならない。吐く息のひとつひとつが、自身への失望の嘆息になってはいけない。その吐く息は、再び息が吸えるという興奮を伴った本物の呼気になるべきだ。若者の年齢を過ぎた人間の「再スタート」を歓迎しない社会にぼくたちが生きていることは否定できない。進路を選択し、キャリアプランを立て、自身の未来像を描くという習慣を、ぼくたちは学生の頃からもち続けている。だから、それぞれの人が歩む人生の道筋は、減っていく残りの呼吸の数に合わせて、だんだんはっきりとした線を描くようになる。

それまでもっていた目への飽きが来はじめた頃、ぼくはもう一度学校に入ることを考えていた。もしいま、自分が一番興味をもっていることを学ぶチャンスがあるとしたら、なにを学ぶか。そう自分に尋ねた。

答えるのは難しくなかった。これまで「読者」として過ごしてきたあいだ、ぼくが勤勉に読み耽っていた本は、小説でも、短編集でも、詩集でも、ノンフィクションでもなければ、漫画でもなかった。それは哲学書、あるいは思想書だった。

『老子道徳経』のタイ語版を読んでいた子どもの頃から、のちに終わりのない疑問と思索の迷路に入りこんだ年頃に至るまで（そのときだって、「頭がイかれてる」と祖母に言われた小さな子どもの頃とそんなに変わりはなかったわけだが）、ぼくの興味は西洋と東洋の哲学のあいだを行ったり来たり流れていた。もちろん、文化研究の分野で「理論」（Theory）的と呼ばれた新世代の現代思想家たちや、のちに西洋の教育研究の場で影響力を発揮する、現代的な流行になった、「ポストモダン」とまとめて呼ばれる思想家たちの著作も読んでいた。そののち、この、哲学に興味はあるが人間そのものを理解していない人々（多くはフランス人だった）は、時代遅れのレッテルを貼られてしまったわけだが。いずれにせよ、読みたい、読まなければならない哲学者の数と本の冊数は、一生かけても読み切れないくらい増えていった。けれどもぼくは、それらの本を、飽きを感じず楽しんで読んでいる自分にも気がついたのだ。読書中に納得できなかったり、反論したくなったり、本を投げ捨てたくなるような気持ちになることは何度もあったが、それらの本はいつもぼくを惹きつけていた。

このようなぼくの興味は、ぼんやりと無意味な夢想に耽って、黒板の枠内に描かれたものよりも、窓枠の外の光景に夢中になっていた学生時代の名残り、なのかもしれない。あるいは、暇をもてあました中産階級の「贅沢」な興味だとか、どんな他人にとっても得を生まない「考えるために考える」ような行動（「芸術のための芸術」と似たような意味において）だと思われるものなのかもしれない。けれどもこれは、自分の抱いた疑問に対する誠実な解答だった。もしもう一度学生に戻れるのなら、哲学こそ、ぼくが本格的に学びたい学問だと。

ぼくは進学のために、より正しく言うならば学びなおすために、仕事を休む予定を立てた。学んだことのないことを学び、これまではカリキュラムに沿うわけでもなくあれこれと気の向くまま学んでいたことを学びなおすのだ。ぼくは自分に向いていそうな学校や、申請できそうな奨学金を探しはじめた。国内のものも国外のものも。それを調べるのにかなりの時間を費やした。

だがそのやる気はすべて、「タイ・ポストモダン界の大御所たる友人」からの簡潔な助言によって撃ち落とされてしまった。哲学をどこで学ぶべきか、ぼくは彼に相談に行ったのだ。彼の魅力でもある、まるで知的な議論をしているときのように怒りを湛えた眉毛の下の視線と、怒鳴るような声色。その調子のまま彼は言った。「わざわざ勉強しに行く価値のあるところなんてない。どうして進学なんかするんだ」。

それは個人的な意見にすぎないし、ぼくがそれを素直に聞き入れる必要はなかった。けれどもぼくは、元から教育制度というものに疑問をもってもいた。その言葉によって、人生の転換期の計画は一時中断され、再考を迫られた。

同じ時期、ひとりの後輩が、日本財団が実施している研究助成、日本財団アジア・フェローシップ（別名APIフェローシップ）を紹介してくれた。それは東南アジアと日本での在外研究に、一年間の助成をしてくれるものだった（在外研究中の帰国は禁止されていた）。その後輩はかつてこの助成金をもらっており、ぼくがその助成を受けるのは難しくないだろうと考えたようだった。問題は、ぼくが助成金を得てなにを研究しに行くのか、ということだった。

哲学に対するぼくの興味は、年齢が進むのと、好奇心のおもむくままに変わってきた。だがたいがいは「形而上学」と呼ばれる、「存在」の来歴と理由をめぐる思索を行ったり来たりしていた。これは、現代の哲学者にとってはかなりありきたりで、黄金時代をとうに過ぎてしまっている学問分野だった。世界の哲学史の中でも複数に枝分かれしていて、複雑で多様な視点があまりにもたくさん出ており、もはや誰も新しい視点を提示することができないテーマで、どんなひらめきが浮かんでも、それは誰かがすでに考えていて、すでに書いているだろうと予測できてしまう。だから形而上学は、同じところをぐるぐる回り、なんの利益も生み出さず、新しい対話や議論に資することもないと見られていた。ポストモダンの思想家たちは、命と万物の意味を探求するよりも、「文化」を批評することに重きを置くようになっていた。

ぼくの哲学に対する興味は素人のものだ。勉強をしていたのは自分の欲望を満たすためだったし、アカデミアとの接触もなかった。だからこそ、自分の哲学書探しや読書が、時代遅れの野暮なものであろうが気にとめなかった。新世代の哲学者や理論家の思想も同時に学ぼうとはしていたが、創造的でないという理由で形而上学を無視してしまうのは、過去の思想家たちと興味深い対話を紡ぎうるはずの発見や実験を見過ごすことだと感じるようになった。特に、同じところで足踏みをしているような抽象的な思索とは異なる、科学的な発見を見過ごしてしまう、と（思うに、はるか昔から同じ学問的な枠組みと語彙をくりかえし使っているから、同じところで足踏みする羽目になるのだろう）。

またぼくは、哲学的な知識やそれを思索する活動が、これまでのあり方よりももっと一般的に社会に広がるべきだと信じていた。教育のあらゆる段階においてそういう知識と思索が存在するべきだし、それらは学者や哲学者が専有する複雑で専門的な学問にされるべきでもない。別に、すべての人間が哲学者たるべきだと考えているわけではない。そうではなくて、哲学は、社会に生きる人々の思想・信条の基礎として、ぼくたちも気づかないほど深く根づいているし、人の生き方から政治的立場に至るまで、ほとんどあらゆるものの見方の由来になっているということだ（保守主義だろうが自由主義だろうがなに主義だろうが、すべては哲学的な思考、特に形而上学にその根をもっている）。もし社会がさまざまな思想の来歴とその基礎に対して、いまよりももっと当たり前な理解をもつことができれば、多くの社会的な対話や議論は、世界中が直面しているような知恵の淀みの中でただ反復を続けて腐っていくのではなく、新しい方向に進んでいくかもしれない。

ぼくは、つねづね関心をもっていた哲学分野の研究をするために助成金を申請することにした。それは「汎神論」(pantheism)と呼ばれる、「自然」の意味についての形而上学だった。その助成で、フィリピンと日本に渡り、文化とアニミズム的信仰の調査をすることにした(「アニミズム」をタイ語で「精霊主義《ウィンヤーンニヨム》」と訳している人がいる。つまり、森の精や山の魂のように、自然に「霊魂《チット・ウィンヤーン》」が宿っていると考える信仰のことだ)。APIの助成金は、助成対象となる渡航先の範囲に制限があった。それは、タイ、インドネシア、マレーシア、フィリピン、そして日本だった(ぼくが申請をした年以降、さらに四つの国が加わった。カンボジア、ラオス、ミャンマー、そしてベトナムだ。だが現在、このフェローシップは終了してしまっている)。

ぼくがフィリピンと日本を選んだのは(自分の国を選ぶことは禁止されていた)、

この二つの国がアニミズム的信仰において突出しているからだった。フィリピンは多数の民族文化をもつ群島国家だし、日本の神道は自然における神と霊魂に重きを置く宗教だ。ぼくが提出した調査テーマは、自然に関するアニミズム的信仰について――すなわち、本質的には人間世界と宇宙を「生き物」として見ることについて――のものだった。この信仰には、環境の危機に直面している現代社会に寄与するものがあるかもしれないとぼくは考えたのだった。

これらはすべて、まだ書かれていない地図上に、出発点とするべく下書きされた大雑把な目標だった。

進学して新しい生活を送ろうと考えたときには、それが現実にそぐわない選択のように見えた。けれども、自分が興味をもっている哲学の研究をするために助成を受けて旅に出るということには、新たな希望を抱いていた。自分の内側にあるなにかしらを変化させて、すでに頭の中にあるものへの飽きを取り除いてくれるのではないか。少なくとも道中で発見したり、学んだりした経験から、新しい視点で執筆に臨むことができるだろう、と。

一年という時間は決して長くなかった。しかもそこで得た結果を文字として伝えるまでに、八年あまりの時間がかかってしまった。けれども、あのときの旅は成功だったと、確信をもって言うことができる。研究という面では失敗だったとしても、ぼくの思考には、八年前とは完全に違うものが生まれていた。

この本は、探求好きで思索好きな人間による書物であり、自らの変化をたどるために書かれている。引用に使えるような学術書ではないし、紀行文学の良作がそうであるような、その場所やそこに住む人々についての細かな情報に満ちたノンフィクションでもない。ぼくは大量の情報を捨てたり、無視したりした。あらゆる経験を縮減して重要な岐路だけを残した。この本を哲学書や紀行文であるよりも「思考の旅の記録」とするためだ。この本の真の目的は、著者の思想や哲学を提示することにはない（それはこれからも変わっていくだろう）。だがもし読者にとって意味があるとすれば、それは、この本が姿を見せることが、小さな証拠となる、という意味においてだろう。すなわち人の思考や信条は、他人や状況によって強制され、思想調整されるまでもなく、その脳のもちぬしによって分析、解体されうるということの証拠。そして「新しい目」は、本当に手に入れられるのだということの証拠だ。
旅はまだ終わっていない。違うベッドで目覚める機会がまた少なからず訪れるだろう。新しい目とともに。もとの身体のままで。

二〇一五年六月

謝辞

日本財団アジア・フェローシップ、旅の道先案内人であるシン・スワンナキット、タネート・ウォンヤーンナーワー先生、そして調査と旅の道中で、数々の助言と、手助けと、友情と、もてなしを与えてくれた多くの人々に。

この認識論的、倫理的、そして美的な混乱はすべて、わたしが自然と直面し、わたしとそれを隔てる深淵を乗り越える探求のための手段なのだ。素晴らしいことではないのだろうか？　いや、自然は素晴らしいのだ。それは鉤にかかったミミズたちによって構成されている。そこにわたしは、偶然と必然のあいだの馬鹿げた弁証法の投影に過ぎないとわたしの知る、創造主のことを讃えるのだ。

——ヴィレム・フルッサー
「驚異」、『自然：精神』［☆1］

人間は現状を拒否する唯一の被造物である。

——アルベール・カミュ［☆2］

1

黒魔術の島

あるいは、時間のレンズの中のスピノザと蛍についてのまやかし

そしてぼくの旅は、自分がいったいなにから逃げているのか、問わねばならない日を迎えた。

もしかすると、これまでの道中、あとをつけてきたその問いを、ぼくは横目で見たことがあったかもしれない。ときにその問いは、もっと頻繁に耳にするもうひとつの問いの後ろに姿を隠していた。「ぼくはここでなにをしているのか？」という、意味ありげな微笑みとともに湧き出してきそうな問いの後ろに。

老いた小さなバイクの後ろに乗って、マックスという名のフィリピンの青年に「黒魔術の島」というぞっとする通称をもつ島を案内してもらっているときのことだった。うら寂しくも魅惑的な海沿いの墓場を通り過ぎる、その後景では砂下の死体の沈黙を嘲るように波がうねっていた。故郷から数千キロ離れた国の島で、周囲の細い道路には視線が届く限り他に人影はなく、知らない男のバイクの後ろに乗って、たくさんの命の終《つい》の住処を通り過ぎるぼくだけがいた。そのとき、なんらかのまだ考察されていない理由で、「ぼくはここでなにをしているのか？」を追い越して、「ぼくはいったいなにから逃げているのか？」という問いが現れたのだった。運転手がバイクの速度を上げるのと同時に、風の流れに逆らって。ぼくはその問いに答えたかった。答えなければならないと思った。

だがぼくは、ここからはじめるべきではない。

その数時間前、ぼくはまだ黒魔術の島におらず、マックスのことも知らなかった。早朝、目覚めたぼくが出会ったのは曇り空だった。フィリピンは台風の季節

☆1　未邦訳。原著で引用されているのは以下の英訳版。Flusser, Vilém. "Wonders." *Natural: Mind*. Translated by Novaes, Rodrigo Maltez, Univocal, 2013, p. 112.

☆2　『カミュ著作集Ⅳ　反抗的人間』、佐藤朔、白井浩司訳、新潮社、一九五八年、一四頁。

の終わりで、湿っていて、ドゥマゲティという名前の港町の上空は静かな灰色をしていた。もし腕が長ければ、空を覆う湿った背景の表面に触れることができそうだった。ぼくは目覚ましを朝五時にかけていて、六時ちょうどのフェリーのチケットを買っていた。昨晩泊まった二つ星の一階建てホテルは浜辺沿いの道路に建っていて、港までは三輪タクシーで五分もかからない距離にあった。ぼくの荷物はリュックサックとカメラバッグだけで、旅支度に時間をかける必要もなかった。

だがやはり、ここからもはじめるべきではない。

ぼくの記憶の中では、旅を記録した写真が時系列に従わずに重なっている。過去を思い出して語ることそれ自体が、一種の迷路からの脱出経路を見つけ出すことに等しい。リュックサックを背負い、カメラバッグをかけ、ドゥマゲティの浜辺の道路で三輪タクシーを呼び、それからフェリーの上で暗い空を見上げて、黒魔術の島に向かって波を切って進む道中で激しい嵐に出会わないことを祈っていた自分の姿を見つけるまでに、ぼくは、時間にして二ヶ月以上のあいだの写真を無視して、見過ごしていた。

写真の何枚かは、その内容を確認できないくらいに色褪せていた。多くの写真は修復できないくらいにしわくちゃになっていた。さらに他の多くの写真はあまりに無意味で、誰かにとって、あるいは自分にとってすら、意味があるとみなすのも恥ずかしかった。もっと大きな写真とつながって、その大きな写真について、暗黙のうちに一番よく伝えてくれるような写真からはじめなければならない。

問題は「一番よい」など存在しない、ということだ。結局は、そこからはじめられる写真からしかはじめられない。たとえそれがぼくたちの望まないものだとしても。

シキホールへの旅は、言ってしまえば、風に乗って偶然ぼくのアルバムに紛れこんだ、他人の撮った写真と変わりなかった——もしくは、ぼくたちの理解の範疇を超えたボードゲームの盤面に置かれてしまったものを、とりあえず宇宙の粒子の中の偶然と呼ぶべきだったのかもしれないが。だからぼくたちは、謎の写真からはじめることになる。ちょうど、旅に出るときにぼくの抱えていた問いが、洋服やカメラよりも重かったのと同じように。そしてその写真はぼくを連れて森や嵐、海や道路を通り、ついに静かな墓にたどり着く。ぼくが「ぼくはいったいなにから逃げているのか？」——この旅でもっとも重要な問い——に出会った場所に。

ドゥマゲティの街も、シキホール島行きのチケットを購入することも、ぼくの写真や計画の中には入っていなかった。二ヶ月ばかり前にぼくがフィリピンに到着したときの計画は、この国に多くある火山の近くの街を訪れ、少数民族の人々や、少数民族の文化に詳しい人々に話を聞き、「自然」（この言葉が旅のあいだずっとぼくを脅かしていたわけだが）に関連した活動をする芸術家を探し、残りの時間で「汎神論」あるいはタイ語で「全神主義《サッパテーワニヨム》」と（あまりもとの意味に正確でなく）訳されたこともある思想についての書籍を探して読むことだった。けれども、二ヶ月間すべてを計画通りにこなそうとした結果、ぼくが出会うだろうと期待していたものや理解しようとしていたものが、実際には存在しないのではないかという不安を抱くようになったのだった。ぼくは火山の街を訪れて、馬で火山に登ったし、まだ残っている少数民族の子孫に出会ったし、何人もの芸術家に話を聞いたし、あらゆる場所でぼくの尻に吹きつけ足に浸みこむ嵐からも逃れてきた。そして毎晩、部屋に戻ると、眠る前にしばし困惑したものだった。このすべての経験は、ぼくが探し求めているものにとって一体どんな意味があるのだろうか、と。

これらの経験に失望したというわけではない。ぼくはむしろ、それを目にし、耳にするだろうと期待していたものを実際に見たし、聞いた。それが問題なのだ。あらゆるものも人々も、あらかじめ構築されていた思考の枠組み通りに存在し、あるいは行動しているということに、ぼくは気づいてしまった。どんなに奇妙であっても、どんなに流れに逆らうようなものであっても、この世界にはぼくたちが見たいものと聞きたいものが揃っている。つまり、ぼくの見たものはぼくが見たいと思ったものだったのだ。ぼくの聞いたものはぼくが聞きたいと思ったものだった。なにか新しいことを学んだわけでも、なにかをより深く理解したわけでもない。「ぼくと同じことを考えている人間が世界にはいるぞ」、そして「ぼくが考えていたことは実在したんだ」と、自我の欲求が充足したときに覚えた満足以外には。

ぼくの調査の旅は失敗――この旅で新しいものに出会えないという意味での失敗――に終わる兆しがある、という不安と羞恥の混じった感情とともに毎朝目覚めていたその時期のことだった。ベテランも若手もいたフィリピンの作家たちとの会話の輪の中で、前触れもなく「シキホール」という名前が話題にのぼった。

ぼくはシキホールについての話を、少なくとも三度、三回の語らいの場で耳にしていた。そしてすべての場所で、そこがどれだけ謎めいて興味深い島であるかということを話し手が語ったにせよ、その語りはかならず真剣な警告で終えられた。「もし君がそこに行くのなら、気をつけることだ。地元の人間と目を合わせたり、怒らせるようなことをしてはいけない。彼らは呪文を使って君に危害を加えるかもしれないから」というような。ある作家カップルがぼくに語ってくれたところによると、彼らの友人は島にいる「魔女」によって気を狂わされて、白痴になってしまったそうだ。大声をあげたせいで島の人々に迷惑をかけた、という理由だけで。はじめ、ぼくはそれらの言葉を冗談だと思っていた。けれども、それを語ってくれた人々が話のあとに笑い声を続けたことはなかったし、からかうような顔を見せたこともなかった。むしろ、まるでその島について多くを語りすぎてしまったのではないかという恐れが、声色から感じられるようだった。あらゆる人がシキホールのことを「黒魔術の島」と呼んでいた。そして、もしぼくがそこに誰も知り合いがいなくて、必要不可欠な理由がないのであれば行かないほうがいいと匂わせていた。たとえそこがとても「興味深い」場所であったとしても。

ぼくがシキホールへの行き方を尋ねたとき、おそらく誰もぼくが真剣だとは考えていなかっただろうし、どれだけ恐ろしいかを吹きこまれたあとでもなお、ぼくが本当にそこに行きたがるとも信じていなかっただろう。けれどもぼくはそのとき、そこがぼくになんらかの答えを与えてくれる場所かもしれないと考えはじめていた。霊魂への崇拝と魔術師・祈祷師の文化は、ぼくが調査していた「自然」への傾倒、学術の言葉で言えば「アニミズム」と呼ばれるものと重なるところがある。それまで人々から話を聞いてきた中では、思っていたほどのことが教えてもらえなかったり、ぼくが何度もくりかえし考えているようなことと同様のことしか知ることができなかったりしたのであれば、霊から直接、あるいは霊魂と交信できる人々から話を聞くことで、ぼくが予測できる範囲より多くのものを得られるかもしれない。ぼくはそう考えた。

外国人はシキホールの名前になじみがないだろう。ガイドブックの多くはこの畏怖すべき島をとりたてて大事に扱っていない。だがフィリピンの人々にとっては、あたかも詠唱された呪文が漂ってくるようなこの島についての物語に耳をふさぐのは難しいことのようだ。この島について語ってくれた多くの人々が、自分自身でそこに行ったことがないということに、ぼくは気づきはじめていた。物語の多くは口承の形をとっていた。「こんな風に言われている」あるいは「聞いたところによると」あるいは「こういうことを言っていた人がいた」あるいは「昔こういう話があった」というたぐいのものだ。そのすべてが伝説の由来となって、この小さな島にある種のイメージを付与する。それだけでなく、口承の物語は、この世界にあるさまざまなものごとのはじまりにもなっている。この世に存在するあらゆる事物の誕生にまつわる信仰から、来世や、別世界のようすに至るまで。ぼくたちがどれだけ「聞いたところによると」から生まれ出る思考の数々を使って人生を過ごしているのか考えてみると、少なからぬ驚きを覚える。そしてぼくたちが「聞いたところによる」ものが、これまた多くの「聞いたところによる」ものの集合である人々の手によって、鉄の掟や石碑に刻まれた銘文に姿を変えて、従うべき「事実」や「真実」として擁立されるとすれば、それは恐ろしいことだ。

シキホールを自分の目で見たいという欲求の中には、誰にも伝えずに隠していた課題があった。自然の未知なる力に傾倒している芸術家や少数民族の子孫たちと話すときにはいつも、その課題を心に秘めておいた。それはつまり、自然に関する霊的な信心とともに現れる呪文や、多くの神聖なるものへの信仰は疑わしいものであり、欺瞞の領域に傾いていることを証明したいという考えだった。ぼくがシキホール島に住む人々と目を合わせることを恐れなかったのは、他の場所に住む普通の人々が訪問者を注意深く不信の目で見つめることと、シキホールの人々のそれとはなんら変わりがないと信じていたからだった。ぼくが黒魔術で呪われるのを恐れなかったのは、誰かがぼくのことを黒魔術で呪うことができるとは信じていないからだった。ぼくが魔女や祈祷師と会いたいと思ったのは、彼らが魔女や祈祷師であるとぼくが考えていないからだった。オズの魔法使いは、さまざまな術策を用いて舞台を整えて、自分に不思議な力があると見せかける普通の人間だ。それをあらかじめ知った上でエメラルドの都へ向かうことと、シキホールへ渡航することは同じようなものだと想像していた。

それはつまり、ぼくが先入観をもってスタート地点に立っていた、ということだ。そしてその先入観はおそらく「聞いたところによると」の一側面だった。行ってもいないのに、ぼくはシキホールらしさについてのイメージを完全にもっていたわけだから。

自然に関する活動をしている芸術家にインタビューをすると、ほとんどの場合に、彼や彼女は「神聖なるもの」へのなんらかの信仰をもっていることがわかった。それは霊魂や森の精、あるいは呪文そのものへの信仰ではなかった。「自然」とは、精神的な目標とは無関係で物質や宇宙の営みを超えたものであるという信仰の次元に、彼らはいた。その信仰においては自然に接触し、あるいは近づくことで、人間はなにかの中に入りこんでいくことができる。「超越した」あるいは「踏み越えた」あるいは「偉大」ななにかの中に——宗教の信仰者が、修行の達成、涅槃《ねはん》、天上の宮殿、あの世とこの世、そして「神」に近づくことを信じているように。

芸術家や少数民族の子孫が、霊魂と自然を結びつけて考えるのは不思議なことではない。それは太古の時代、実体のない神聖なものに捧げるべく人の命を生贄としていた時代から、「自然」という言葉とともにあった慣習だからだ。もちろん二一世紀において、人を捕えて命を奪う生贄の儀式をおこなえば、社会の大部分から野蛮であるという非難を浴びるのは言うまでもない。けれども、古代の人間にそれらの儀式を執りおこなわせた信仰の由来となったものが消え去ったわけではない。それは以前よりもさらに静謐に影を潜めているのかもしれない。けれども、地震が起こるたびに、人間が道徳的に衰退したせいで神聖なるものが罰を与えたのだという意見を示す人がいる。あるいは天国の扉へと近づき、神と交歓するために、大量の罪なき人々を残虐に殺害する狂信者の集団がいる。こういったものが現れると、社会が生贄という行為を捨てきってはいないことがわかる。人間の社会にはどこを向いても物質的繁栄しかなくて、人々は生活のあらゆる歩みを科学とテクノロジーの発展と結びつけており、そしてその社会は「近代」の原理によって統治し推進されているように見える。けれども実際は、社会の構成員の大部分は、日々の生活環境からほとんどかけ離れたところにある文化、習慣、儀礼、信仰によって動かされている。その状況は不思議なことではない。道祖神の祠《ほこら》を拝むことと、スマートフォンが動く原理を関係づける論理を見つけるのは難しいことだろう。けれども多くの人々が、その両者を同じだけ大事に思っている。場合によっては、多くの人が道祖神の祠のほうを大事に思っていても不思議ではない。神聖なるものの霊力によってあらゆるものが生まれたのだという論理で考えればそうなるだろう。スマートフォンも含めて。

深層を見ると、ぼくの興味関心はこういった思想と信仰に対する疑いから枝分かれしてきたものなのだ。世界や宇宙は互いに関連するものに分類・分割できるが、同じひとつのものにはならない、というこの思想と信仰を言い換えると、そこには大ざっぱに分けられる三つの「階層」がある。「神聖なるもの・超自然なるもの」（唯一神、神々、阿羅漢、天使、女神、サタン、妖魔、霊魂、森の精、など）。この階層は「超自然」の力をもち、よき意志と凶暴さ・残忍さを用いて数多くのものを生み出し、そのあり方を決めることができる。それぞれの神聖な役割に合わせて善の側と悪の側に分けられている。次の階層は神聖なるものの生産物である「人間」だ。ただ、人間は他の生き物や物質よりも運がいい。人間というのは、神聖なるものが可愛がり、近づき交わる対象の生き物だからだ（人間の女性を妻にする神がちょくちょく現れるほどだ）。神聖なるものはさまざまなルールを規定して、人間を教え諭し、苦痛から「脱出」させてくれる。一部の人間は、強く決意し、自らを神聖なるもののために捧げれば、神聖なるものの階層へと上がれるかもしれない。だから、たとえ人間が神聖なるものよりも劣っていても、その劣等を超える機会がある点で人間は特別なのだ。哀れな最後の階層「自然」（動物、病原菌、植物、石、砂、などなど）と違って。自然はなんらかの形で作られたら、その形のままでいなくてはならない。自然は使われるもので、食料、装飾品、休息場所、休日の活動、人間同士、あるいは人間と神聖なるものの争いの舞台になり、もっともよい場合でも、人間に命の価値を感じさせる「インスピレーション」という立場でしかない。そしてその価値とは、人間が神聖なるものの存在を認識していることそのものなのだ。

だがぼくの目的は、オズの魔法使いの欺瞞を暴くことではなかったし、シキホールに行って、島の人々の信仰と文化をあざ笑うことでもなかった。ぼくはその慣習、生き方、それらの信仰の継承について理解したいと考えていた。たとえすべてが人間同士の騙し合いで、盲信であると証明されても、人間が命を全うする上で重要ななんらかの仕組みを支える役割を果たしているのかどうか測りたかった。言い換えれば、たとえ自分が欺かれていると気づいていても、ぼくたちは信仰を守りたいと望み、騙されることを受け入れ、知らないふりをして、事実を覆い隠すことで強さを得て、その信仰を共同体や社会、あるいは人類全体の立脚点とするのか、ということだ。神聖なるものや超自然なるものにまつわる信仰は心の拠り所のようなもので、事実関係の証明とは別物だと多くの人々が説明している——信じる、それゆえ「在る」、そこにないものでも信仰によって実在する——、ぼくはこういう思想にどれほどの重みがあるのか理解したかった。科学的に自然を研究するよりも、信仰を守ることのほうが本当に大事なのかどうか。

ぼくは、フィリピンでの旅が終わるまでにかならずシキホールを訪れようと決意し、ミンダナオ島ダバオでの調査中にその計画を立てた。それは、山を登って、とある小学校の美術教師がもつ小さな土地を訪ねたあとのことだった。いまになっても、あそこになにをしに行ったのかよくわかっていない。通訳がいてくれたのに、理解できるような、理解できないような会話を通して、その場のすべてが成り立っていた。街に、彼と話すよう勧める人がいたのだ。もしかすると、その地域で自然に言及しながら頻繁に芸術活動をしているのは彼だ、というだけの理由だったのかもしれない。

ミンダナオ島ダバオでの森歩き

これまでの芸術家や少数民族の子孫と同様、慎み深く「自然とともにある」ことを信じるこの美術教師は、この調査のために会って話を聞くべきだろうとぼくが想像した通りの性格と意見のもちぬしだった。彼は孤独な山歩きに夢中になっていた。山の頂上に土地を一区画もち、そこで有機農業をおこなっていた。そこにたどり着くには、深い森と開けた丘を交互に抜け、背の高い草に覆われた狭い道を二時間以上歩かなければならなかった。ぼくと通訳は、その二時間を沈黙したまま、彼の後ろをついていった。美しい山だった。標高は高くないがとても大きく、古木の深い緑に包まれていた。彼がぼくに森歩きや山歩きをさせた理由は「自然の一部になること」に触れて、彼の思想と行動を、多くを語ることなく理解させるためだった。

目的地に到着すると、彼はぼくに、トウガラシを植えた土地を見せてくれた。彼は木からトウガラシを一本摘みとると、それを口の中に入れて噛んで、ぼくに言った。「わたしが自然から学んで得た教訓は、生のトウガラシを食べ続けると、健康になって病気をしないということだよ」。それからもう一本摘みとってぼくに手渡した。

ぼくはもちろん面目を失いたくなかったし、なおかつ彼に気を使ったので、その生のトウガラシを受けとって口に入れると、すぐにパリパリと噛み砕いた。タイ人だからといって生のトウガラシに慣れているわけではない。ぼくは無理やり笑顔を作って小さくうなずいた。瞬時に健康になったみたいだ、と示すためだ。けれども唇は固く閉じていた。舌が口から飛び出して、ぼくの本心を告白してしまわないように。

愉快で、感動的な日だった。彼の美しい山と森が魅力的な場所であることに異論はなかった。静かな山林を歩き、鳥の声、風の音、足の下で鳴る枯葉のカサカサいう音を聞き、その美しさの中で自らの思考に耳を傾け、思索に沈んでいた二時間。記憶になんらかの意味を残す体験だった。美術教師が自然との共存について示していたこと、自然から学んでいたこと、その実践に至るまで、あらゆる情報が、自然からの影響とインスピレーションを受けた人間がもっているべき情報と合致していた。

これもいままでと同じだった。この美術教師のような人と出会い、生のトウガラシを噛み、これは健康によい、自然からの教訓だと助言を得る。こういった人々と行動をともにして言葉を交わすことが、ぼくの思考をどこに進めてくれるわけでもないということが、改めて示されただけだった。なにより、タイにだって何人もいるようなタイプの人々からなにかを学ぶために、わざわざ故郷から遠く離れたところまで旅をする必要はないのだ。

ぼくがなんの研究をしているのかと尋ねる人は、「汎神論」――「神と自然」が同じものであると主張する哲学だ、という答えを耳にするたびに、虚ろな目になるか、困惑の眼差しを投げかけてきた。当然、どうしてそれに興味をもったかという質問が続く。ぼくには「自然を愛する」人間でありそうな雰囲気がまったくないからだ。

この質問に短く答えることはできないし、答えるにもまず前提を説明しなければならない。けれどもぼくはなんとか相手の疑問を素早く解消するような方法を探しては、別の話題に移っていった。

もし真剣に答えるならば、まずはここからはじめなければならないだろう。すなわち、ぼくにとっての「神」と「自然」という言葉は、一般的に「神」と「自然」という言葉で理解されていることにもとづいた意味をもっていない。つまり、ぼくが関心を寄せ、答えを見つけたいと考えているものは、大部分の人々が集合的にイメージしている神と自然とはなんら関係がない、ということだ。ここで言う神は宗教における神ではないし、自然は草木や山林、あるいは海のことでもない。「神」とはあらゆるものを生み出すなにものかの代名詞で、「自然」とは「存在させられた」あとに続いていくなにものかの代名詞だ。

地中深く埋められた植物の種が、その芽吹きを何度も何度も摘みとられても生き延びているようなものだ。自然という言葉へのぼくの興味の出発点は、時間の地表をかなり深くまで掘らなければ見つけることができない。たしか、若かったぼくのきょろきょろした視線が、なにかの本を見つけたのだ。その本のおかげでぼくは、「自然の一部である」状態について考えるようになった。そこには、言葉で説明することのできないなんらかの決まりや「方法」と調和すべくふるまうよう書いてあった。言葉で説明することができないから、とりあえず自然という言葉を使って説明しておいて、人類がそれを理解する日を待とうということだった。もちろん、未来永劫そんな日は来ないのだが。道教の経典（『老子道徳経』）からの翻訳詩だったか、東洋哲学の思想を引用している誰かの、あるいは何人かの名言集だったか、そんなところだ。

　青春時代のぼくは西洋のポップカルチャーに夢中だった。九〇年代初頭のイギリスやアメリカの若者の流行に乗って、「オルタナティヴ・ロック」と呼ばれたジャンルの、たくさんの曲を聴いていた。その中にイギリス出身の三人組のバンド、ラヴ・アンド・ロケッツがあった。彼らの曲に、次のような歌詞ではじまるものがある。

You cannot go against nature
Because when you do go against nature
It's part of nature too

君は自然に逆らうことはできない
君が自然に逆らってしまえば
それも自然の一部になってしまうからだ

この曲の名前は No New Tale To Tell ――「新しく伝えることはない」――。当時、ぼくはこの曲を数え切れないほど何度も聴いた。曲そのものへの興味が過ぎ去ったあとも、この歌詞はずっと、ぼくに「自然」という言葉の意味を考えさせ続けた。作詞者はおそらくどこかでこの思想を覚え、それを借りてきたのだろう。ぼくが子どもの頃に読んだような東洋哲学から来ていたとしても、不思議ではない。哲学の歴史において、さまざまな視点と形式をもって存在してきた思想だからだ。

疑問を呼ぶ、挑戦的な歌詞だった。「ぼくたちは本当に自然に逆らえないのか?」「ぼくたちの逆らえない自然とはなんだ?」「どうしてぼくたちは自然に逆らえないんだ?」「自然の一部になるとはどういうことだ?」「もしぼくたちが自然に逆らえないのなら、自由意志とはなんだ?」「もしぼくたちが自然に逆らえないのなら、どうしてぼくたちは自然に逆らえると思ってしまうのか?」「もしぼくたちが直面するものが、ぼくたちの望まない自然だとして、ぼくたちがそれに逆らえないのなら、ぼくたちはなんのために生きているのか?」などなど。

だが結局、これらすべての疑問を本気で検討しようとするならば、まず「自然とはなにか?」という疑問に答えを出す必要があった。

No New Tale To Tellの歌詞は、ぼくを「汎神論」という言葉との出会いに導いた川の流れの源流だった。その川は、ぼくがこの言葉の意味を調査する助成金を申請しようと決意したその日まで流れ続け、さらにぼくの舟をシキホール島まで運び、ぼくはそこで自らをふりかえることになった。長い思考の旅だった。夢中になってそのことを考えていたわけではないし、どうしても答えを見つけ出したいと興奮していたわけでもない。ただ、ぼくの思考はずっと、狭い脳の中でぐるぐる回りながら、壁にぶつかり続けていた。

「汎神論」（pantheism）は、ギリシア語からきた言葉だ。「万物」あるいは「すべて」（pan）と「神」（theos）という言葉を結合させて、「万物は神である」という意味をもたせている。あるいは前後を入れ替えて、「神は万物である」としても間違いではない。この言葉がはじめて登場したのは、イギリスの数学者ジョセフ・ラフソンが一六九七年に発表した学術的著作だった。その後、一七〇五年に、アイルランドの哲学者ジョン・トーランドの記した宗教批判の書にも現れる。だが、汎神論に言及する際に、ほとんど自動的にその姿が浮かび、この思想の先駆者として誰よりも賞賛を受ける人物と言えば、オランダの哲学者、バールーフ・スピノザ（一六三二－一六七七年）だろう。彼の著作において、「汎神論」という言葉は使われていない。

とはいえ汎神論の本質を理解するためには、汎神論という言葉そのものよりも、スピノザの議論のほうが助けになる。哲学書『エチカ』において、スピノザは「神」と「自然」を等価なものとして扱っている。そして、そこには「神あるいは自然」(God or Nature または Deus sive Natura)という文言が明記されている。この文言は汎神論の核心だ。宗教の宥和と信仰の多様性(多様な視点から自然に言及する「地球愛護《ラック・ローク》」[☆3]の流行などはまさにそうだが)に慣れ親しんだ現代社会においては、とても静謐に、あるいは美しくすら聞こえる言葉かもしれない。けれどもスピノザの時代においては、これは異端であり、不信心であると非難される思想だった。彼は、生まれ故郷アムステルダムのユダヤ人共同体から追放されるに至り(スピノザの家系は、ポルトガルから逃れてオランダに定住したユダヤ人だった)、それからあとも居を移すことを余儀なくされた。あげく、ハーグに移住したのち、肺の病で命を落とす。わずか四四歳のときのことだ。

ラヴ・アンド・ロケッツの歌詞「君は自然に逆らうことはできない/君が自然に逆らってしまえば/それも自然の一部になってしまうからだ」と同じように、スピノザの文言も特に複雑であるようには見えない。だが、時間をかけて丹念に検討してみると、「神あるいは自然」という思想が、神への信仰心をもつすべての人々にいらだちと、怒りすら覚えるほどの感情を引き起こさせたことは、なに

1

も不思議ではないとわかる。神と等しい価値を自然に対して与えることは、神は「自然を超越した」力をもつ神聖なものではない、という意味を内含しうる（これは、神は万物であるがそれ以上でもある、すなわち万物をコントロールする力をもつと主張する万有内在神論（panentheism）とは異なる思想だ）。それどころか、神はいかなる力ももたないだけでなく、信仰者たちが想像し、伝え、継承してきた「実体」ももっていないということになる。

神が自然で自然が神ならば、自然であるどんなものも同時にすべて神であるということになる。つまり宇宙にあるブラックホールから、犬のフンや蟻のフンのようなもっと人間に近いものまで、言ってしまえば、存在するならばどんなものでもいい。人間の知っているものもまだ知らないものも、ぼくたちが善とみなすものも悪とみなすものも、美しいものも醜いものも、香るものも臭うものも、煩

☆3　タイにおけるさまざまな環境保護活動のスローガンとしてひんぱんに使われる語。「愛する（ラック）」と「保護する・治療する（ラック）」という同音異義語をかけている。

スピノザ

わしいものも楽しげなものも、すべては神としての地位をもつのだ。神は万物から切り離された実体をもつ神聖な力ではないし、どんな天国からも見下ろしてはいないし、信仰者の祈りの言葉をこっそりと聞いて、人々の行為を判定して「善」をおこなった人間に特権を与えたり、「悪」をおこなった人間を断罪したりもしないし、世界を造ってもいなければ、人間を創造してもいない。神は自然として存在するもの以上のなにものでもない。それゆえ、数多くの宗教儀礼や経典、教え、さらにはさまざまな規律が、まったく必要なくなってしまう（別の言い方をすれば、「真実ではない」ということになる）。スピノザは、あらゆる信心、信仰、そして宗教的行為を、人間が自分たちの欲望に応えるために生み出した発明であると考えていた。

極端な言い方をすれば、神という言葉には意味がなく、偉大で神秘的で畏れ多いなにものかを想像する人々に混乱を与えるだけのものだ、ということになる。なぜなら自然あるいはあらゆるものは「存在」（existence）の「推進力」であるからだ。創造主はおらず（スピノザは自然あるいは神がおのずから生まれ出ると考えていた）、統治者もいなければ、破壊の力をもつ者もいない。そしてこの思想において、なによりも惨《むご》たらしく、人々の欲求と矛盾しており、信仰者がそれを受け入れられなくなるほどの影響をもっているのは、どんなに辛く悲しい出来事が人間の身に起こったとしても、誰も、どんな奇跡的なものもぼくたちを助けてくれないということなのだ。ぼくたちが善行と功徳に精進しても、道徳の中に生きても、祈りにどれだけの時間を捧げても。

それゆえスピノザが、信仰者の側から無神論者（atheist）あるいは神を信じない者というレッテルを貼られたのは不思議なことではない。だがそれと同時に、彼は別の集団から「神に酔える人間」（God-intoxicated man）であるとも仇名されていた。すなわち「神」の意味に特に深く耽溺してしまった人間である、ということだ。この着眼点は、スピノザの思想と汎神論の論点をよく反映している。スピノザの思想と汎神論を無神論とは区別しつつ、そこに重要な意味を与えている特質とはすなわち、神聖性を基盤とする自然との関係性だろう。たしかに汎神論では、その始祖を拝むことはしないだろうし、宗教的儀礼も執りおこなわれないし、さまざまな宗教の信者たちが自らの神を想像するような、「イメージ」も存在しない。けれども自然に神と等しい価値を与えることは、この思想をもつ人々、あるいは自らを「汎神論者」（pantheist）と名乗る人々が自然に与えている価値が、単なる物質や、ただの無意味な生成として以上のものであることを示している。

むしろ、宗教を信じる人々や、神を信仰する人々の中にある感情や「精神」的な感覚、あるいは「神聖さ」に関する認識は、汎神論者の中にも深く存在している。汎神論者とは、善も悪も、美も醜も、そのすべてが神聖であるという理由から、命をもつことに陶酔し、自然の一部になることに感銘を覚える人々だ。彼らは、あらゆるものが神の一部だと認識することで、命をもつことの価値を知る。スピノザは、知性を用いることが、神への真実の愛を示す方法であると信じていた。それはつまり、神と自然あるいは「神は万物であり、万物は神である」ことを認識し、感得することが、神への真の信仰を示す、ということだった。

スピノザの「神あるいは自然」そして汎神論とともに現れるもうひとつの問題

は、人間の居場所についての問題だ。もちろんこの方程式においては、人間も「万物」の一部としての立場をもつ。そうなると、人間もまた同様に神性をもたなければならないことになる。言い換えるならば、人間も「神あるいは自然」の例外ではない、ということだ。ぼくたちもそれぞれみな神なのだ。

その論理で考えれば、人間が自然や神と関係をもたなければならないと感じるのは、少なからず奇妙なことだ。一体どんな理由で、すでにそのものになっているものが、自らを知り、理解しようと思わなければならないのか。木々や植物から、蟻のフン犬のフン馬のフン水牛のフン、あるいは人間にもっとも近い生き物である猿でさえ、それぞれ神の一部なのだ。彼らはただ「ある」以上には、なにかをする必要を感じていなさそうに見える。一方の人間は、自らが切り離されているように感じているから、自らが切り離されていないということを理解するために知性をもちいる。もし宗教の慣習にのっとった意味での神が、ぼくたちが世界と自然に対してもつさまざまな疑問に答えるべく人間の生み出した象徴なのだとすれば、一体どうして、自然においてぼくたちだけがそんな行為をするのだろうか（他にも、世界で人間だけがおこなうらしい、あまりに傲慢で珍妙な行為がいろいろとある。それらの行為については、ここでは検討しない）。

ぼくたちが他のものと異なり「特別」であるということなど、ありえるのだろうか。もしそうなら、さらに数多くの疑問が生まれる。なによりも重要なのは、それは「万物は神である」ことと矛盾するのではないか、ということだ。

人間という言葉は、とある一種の生き物を意味しているだけではない。人間とは、「思考する」あるいは「知性をもつ」生き物のことを意味してもいる。スピノザの思想に沿うように議論を進めるなら、そして万物が神であるのならば、人間の知性もその例外ではない。それはつまり、「思考」も神としての位相をもつ、あるいは神の一部である、ということだ。

スピノザの『エチカ』における哲学は、彼の時代においてはかなり先進的な視点を提示していた（現代における一般的な信仰・認識と比べても進んでいると言っていいだろう）。そして精神と物質を分離された二つのものととらえるルネ・デカルト的な「二元論」（dualism）の哲学を無効化した。プラトン、アリストテレスから、デカルトに至るまで、二元論的な思想をもつ哲学者の大部分は、生き物の「身体」を含めた「物質」よりも「精神」を重視する。「精神」は人間を「真理」（Truth）への「認識」と結ぶ特別な役割をもっていて、別の見方をすれば、身体や物質よりも深い「真実」（real）をもっている。身体が消滅してしまっても、精神は残ると信じられていた（ときには「精神」と「魂」は置き換え可能な言葉として使われていた。だがそれは、幽霊になる、という意味においての「魂」とは違った）。言い換えれば、人間であることの本質は精神にあり、プラトンのような哲学者にとっての真実の世界とは、精神の世界のことだった。その世界は、単なる「まやかし」（illusion）にすぎない人間の世界よりも高尚なものなのだ。だがスピノザはそのように考えない。あらゆるものが等しく自然・神としての価値をもつのであれば、精神は他のものと変わらない、万物の単なる一部にすぎず、物質と共存して絡みあう関係にある。もし「精神」と「身体」の関係についてだけ述べるとすれば、この二つは互いに影響しあっている。精神はいくつかの面において身体をコントロールするかもしれない。身体の状態およびシステムは、精神の状態と働きに影響を与える[☆4]。だから、精神を鍛えて、身体から解放する方法があるというような「超自然」のたぐいの信仰は、スピノザ的なものの見方とは矛盾する。「奇跡」あるいは神聖なるものの意志が、自然のあり方に介入して起きる現象への信仰も同様だ。それらは世界においては起こりえない「超自然」のものごとであるとみなされる。あるとすればそれは、人間の夢見がちな空想の中だけだ。

☆4 スピノザの『エチカ』第三部定理二に以下のような記述がある。「身体が精神を思惟するように決定することはできないし、また精神が身体を運動ないし静止に、あるいは他のあること(もしそうしたものがあるならば)をするように決定することもできない」(スピノザ『エチカ 上』、畠中尚志訳、岩波文庫、二〇一一年、二〇五頁)。スピノザの思想において「精神」と「身体」は互いに切り離されない同一のものであることを示す定理だ。一方、本文中のプラープダーの表現は、精神と身体を分離したものと解釈しているように読みとれる。だが本書二一一頁に記されているように、プラープダーは、スピノザの思想において精神と身体が同一のものであることは理解していると考えられる。本頁における精神と身体の「影響」や「コントロール」といった表現は、二一一頁にあるような精神と身体の「協働」という理解の中で使用されたものだろう。

何時間も音楽に没入していることができた若者の日々に戻ってみる。ぼくは「汎神論」という言葉を聞いたことがない。バールーフ・スピノザのことも知らない。そして「自然」と言えば、頭に浮かぶのはありきたりな「自然」という言葉の定義の通りの映像だ。「自然を愛する」人とはつまり、「自然」と呼ばれるものを特に好み、特にそれに近づこうとする人間のことだ。若者だったぼくはそんな性質をもちあわせてすらいなかったと、胸を張って迷いなく言うことができる。ただ、森のそばに建った学校と寮で過ごす学生だったぼくは、必然的に森に慣れ親しんでいた。

さらに子どもだった頃、ぼくの小さな狭い世界には、街や物質よりも「自然」のほうが多く存在した。都市の郊外に家があり、小さな県の小学校で学んだことで、ぼくは遊びと余暇（つまり遊びと、遊び）の時間を、「自然」にとても近い環境の中で過ごしていた（ウロコマリの花で戦ったり、バナナの葉の馬に乗ったり、ココナッツの枝でチャンバラをしたり、道端で拾った石でおはじきをしたり）。けれども自然を「他者」（Other）とみなす感情は、おそらくこれよりもあとに生まれた。

この「他者」が意味するのは、「人間」で定義される世界から、「自然」で定義される世界を分離して得られた自然のことだ。現代社会の価値観と周囲のメディアによって、認識が「植えつけられた」プロセスと言ってもいいだろう。その意味では、土にまみれ草を食《は》み鳥を追って、自然という言葉のイメージももたずに遊んでいた子ども時代のほうが、より厳密に自然の一部となっていたとも言える――つまり、疑いももたず、「いま、自然の中で遊んでいる」との考えももたずに、そうなっていたのだ。だが自然が他者に変わってしまい、趣味嗜好のための、活動のための、目的としての場に、すなわち「評価を必要とする」ものに変わってしまい、判定の影響下に置かれてしまったとき（たとえば「海と山どっちが好き？」や「田舎と都会どっちが好き？」みたいな質問に答えなければいけないとき）、自然と人間、そして自然と「自己」（Self）は意識のレベルで完全に切断されてしまった。

自らの視線において自然が「他者」に変わった頃に、ぼくは人間と自然の関係について思いをはせるようになった（もちろん先に自然が他者に変わって、それからぼくは「自然」に関する考えをもつようになった。だから、当時のぼくの状況は自家撞着的に見えるだろう。もし自然を他者とみなす意識がなければ、「神あるいは自然」そして「万物は神である」という認識が生まれる必要はないわけだ。もし人間が自然から切り離された自己認識をもたなければ、スピノザはこの思想を提示する必要はなかった。もし魚が、水の中を泳いでいるということを知らず、そのことを考えなければ、水は見えないし、水に疑問を抱くこともないのだ）。そしてそのときぼくの興味を惹いた「自然」という言葉は、たしかに「万物」の一部ではあるが、スピノザや汎神論における自然とは違う。その自然は、近代の人間社会によって自然として擁立された自然なのだ。この近代社会において人間は、自らは自然を超えた力をもち、あるいは自然の敵であると考え、また自然を、中産階級の発達とともに登場した、余暇の楽しみを支えてくれる道具として利用する（中産階級の趣味嗜好を模倣する場合も含む）。

宗教的な意味における「心霊主義者」（spiritualist）であろうと、神聖なるものと「接続」あるいは「交信」する方法を探求するような、他の思想における心霊主義者であろうと、どちらも中産階級の産物である。重要なのは、その心霊主義者が汎神論的認識を拡張して近代社会と接続させ、文化運動を生み出して、多様な形の「精神」主義的思想に枝分かれさせていく役割をもっていたということだ。たとえばニューエイジ運動のように。ニューエイジ運動は、自然と、自然の物質が秘めた特別な力を信じ（ある石を身につけておくと健康問題が解決するとか、ある木を家に植えておくと幸運が訪れるとか、みんなで真剣に長時間の祈りを捧げれば、世界の状況を変えることができるとか、そういうものだ）、占星術を信じ、霊魂との交信を信じ、宇宙とひとつになることで導かれる「悟り」を信じ（もし西洋の人々なら、道教、仏教、ヒンドゥー教など、東洋の宗教や哲学に特に夢中になったのだろう）、ハーブと「自然療法」による病気治療を信じたり、現代医学を否定したりする。拡散したニューエイジ的な信仰は、現代社会におけるサブカルチャーの中に、この一段落で語るのは難しいほど複雑に絡みついている。だがその細部のほとんどは、古代から続く信仰を新しい表皮で包んで伸ばしただけのものだ。

どれもすべて、スピノザの「神あるいは自然」と汎神論の「神は万物である」という思想を歪めてこねて逆さまにして、宗教的信仰と神聖なるものへの崇拝に近づけたものなのだ。むろん、ニューエイジ的な思想と実践においては、宗教における教祖への信仰は否定され、「宇宙の秘められた力」が祭壇に掲げられた上で、他の宗教と同様に奇跡のなりゆきに希望が託されるのだが。

「自然」が、スピノザと汎神論的な「宇宙を包む」という意味であっても、「人間社会の分類のひとつ」（カール・マルクスの思想における自然の、ジェルジュ・ルカーチによる解釈）という意味であっても、近代社会の人間の視線においては完全に「他者」としての位置にある（本当のところ、古代から自然はこのような状態であり続けてきた。ただ単に量的な違いがあって、地球社会に与える影響が均等でなかっただけだ）。これは、哲学的議論がいまだ越えられないパラドックスに見える――もし万物の一部であることが、他のものたりえない自然であるのなら、なぜ人間はそれらとは切り離されていると感じ、そうふるまい、そう望むのか。自然とひとつになり、そこに「帰りたい」と望む文脈すら、ぼくたちは他者の視点から生み出している（もしすでにその一部であるのなら、こんな感情が生まれるべきではない）。なぜ精神が身体から切り離されているように感じるのか。これは人間性についての重要な問いのひとつだし、自然を理解するための重要な問いでもある。もしぼくたちが、人間は確実に自然の「一部」であると認めるのなら。「他者」としての自然――それは間接的に人間も「他者」にしてしまう――、それが人間の活動を推進する要素になっていることは否定できない。「なにかをしなければならない」あるいは「どこかに行かなければならない」（身体的にも「精神的」にも）という感情は、人間が動物や他の生き物（ぼくたちが知っている限りの）とは異なるという自覚から生まれる。その一方でこの世界の他の生き物は、ほとんど自動的に、彼らの種としてのあり方に沿って生きている。もし変化するとしても、進化の法則にのっとって変化する（環境の変化に合わせて調整をおこなう）。人間の変化、特に「イノベーション」や「テクノロジー」と呼ばれるものから起こる変化はもっと強烈だ。これらは、切り離された、他者になっている、という感情が引き起こす直接的な結果なのだ。

フェリーは古びていた。色は剥がれ、錆が浮いている。時間通りにドゥマゲティの港を出帆した。乗客は多くない。大部分は地元の人のようだ。船室にはエアコンがついていた。だが外は陽射しもなく曇り、ぼくはむしろ海風を浴びたいと思った。そこで他の人々から自らを切り離して逸脱させると、上に登って操舵席の脇に荷物を置いた。操舵輪に集中している、肌の浅黒い二人の男性と目が合った。ぼくが他の人たちと一緒にエアコンの効いた部屋に座っているのではなく、ここに立って景色を眺めたいと望んでいることを、彼らは口を開くまでもなくすぐに理解してくれた。二人のうちひとりがうなずいて、それから操縦盤のほうを向いた。色褪せてしわくちゃになったイエスの絵が、二人の男性の頭上にある鉄枠に挿さっているのが目に入った。絵に重なるように、上から十字架のネックレスがかけられている。イエスの絵の上部にはマジックで「God bless our trip.」と書かれていた。

もし神がご慈悲を垂れるなら、この船はあと四五分でここにいる全員をシキホールに連れていってくれる。

その日はぼくの誕生日だった。普段のぼくが、自分の誕生日をそこまで待ちわびることはない。特にその誕生日が、知人たちと離れている時期と重なっていれば、それを知らない人たちにわざわざ宣言することもないし、忘れてしまうことすらあるかもしれない。けれども船に乗って海を越えて「黒魔術の島」に向かうという特別な興奮のせいで、ぼくはその日をこれまでの誕生日よりも不思議なものに感じていた。人間の特質のひとつは、意味のなさそうな状況を、なにかの意味とつなげられることだ。ぼくたちは自分自身のことを（個人的にも集団的にも）世界のなりゆき、あるいは「自然」のなりゆきの中心にいると見ている。いろいろなことが、ぼくたちのおかげで、ぼくたちのために、あるいはぼくたちになにかの信号を送るために起こっていると想像する。それは、どうやら簡単には拭い去れそうにない本能らしい。なにがしかの指示を受けて、ちょうど自分の誕生日に船に乗って黒魔術の島に向かっているのだというのは、まったく無意味な思いこみだった。もし多少の意味があるとすれば、脳がこういった考えを作り出す

シキホール島に向かうフェリーの上から

「自動性」についての、分析しがいのある研究事例としてだろう。ぼくたちは誰もが特別さを感じたいと望んでいる。人間としての特別さ。ぼくたち自身としての特別さ。直面している状況の特別さ。そしてその特別さの要因であるなにか

――「God bless our trip.」。

まるで神聖なるものがその存在を示して、ぼくを迎えてくれているようだった。暴雨とうねる海波の中を進んだフェリーがその半途にたどり着いたとき、きらめき輝く光が忽然と射し込み、すべてに温もりを与えたのだ。まるで、それまで空を覆っていた布を急に引き開けた手がそこにあるかのように。それまでは落ち着かず、淀んだ濃い灰色だった水面は、きらめく光の柱を反射する鏡面に姿を変え、見下ろせば水を切って進む魚の群れが船体を挟んでいた。不思議な気持ちになったことは否定できない。海上ではたびたび起こる現象であるにもかかわらず、ぼくの脳はその本能に従って意味と特別さを探し求めていた。

シキホール島の港はまばゆい光のもとにあった。ドゥマゲティの曇り空と冷た

いコンクリートの港に比べれば美しかったが、ここが「黒魔術の島」であることを指し示すものはなにもなかった。どこにでもある小さな島の港に近い外観。フェリーと漁船がまばらに停泊しており、地元の人々が鉄柵の向こうに小さく固まって立ち、観光客を三輪タクシーやバイクのほうに呼びこもうとしている。ぼくはリュックサックとカメラバッグを背負い、誰よりも先に船から下りた。左右を見渡して、あとに下りる他の乗客を観察する。同じ船に乗ってきて、地元の人間でないのは、年老いた西洋人の男性ひとりだけのようだ。他の人々は焦ることもなくのんびりと歩を進めている。彼らはこれからまっすぐ家に帰るか、ドゥマゲティで売る品物を受けとりに行くのだろう。

シキホールに渡ろうと決めたとき、ぼくは宿泊場所の情報をフィリピン人の友人たちに尋ねたり、インターネットで検索したりした。最終的に、マニラにいる日本人から助言を受けた。かつて教師だった日本人が日本からシキホールに移住して、小さなリゾート施設をオープンし、地元の子どもたちを支援する社会活動に従事しているそうだ。シキホール島で宿泊先を探すのは、簡単なことではなかった。不思議なことに、安価で、ベッド&ブレックファスト的な利用ができる宿泊施設があまりなかったのだ。だが大規模なリゾート施設やホテルはある。外国人観光客や、他の地域から来るフィリピン人を迎えるためのものだろう。この島の魔女や祈祷師を訪ねるフィリピン人は少なくないそうだ。その理由はさまざまだ。たとえば、病気の治療、惚れ薬を買いに、など。その多くは生活に余裕のある人々だ。それ以外は孤独を求める外国人観光客たちで、彼らは喧騒から遠い静かで美しい島を探し、日常から離れようとする。

ぼくはその日本人の元教師が経営する「ヴィラ・マーマリン」(Villa Marmarine)という名前のコテージを予約しておいた。港の柵を越えると、三輪タクシーのドライバーたちがいる。ぼくは、一番に近づいてきた男性に宿泊場所の情報を渡すと、彼のあとについていてその近くに停めてあった三輪タクシーに乗った。

三輪タクシーがぼくを港から遠ざけていくときに周りを見渡した視界には、この島の通称や、人々の話にあった恐ろしさの片鱗は映らなかった。そのときはまだ朝で、ここの朗らかな空気はドゥマゲティの灰色の雰囲気とまったく異なっていた。おかげでこの島は、ぼくがこれまで訪れたフィリピンの多くの街よりも楽しげな場所になっていた。実際のところ、ここには他の数多くの場所にはない魅力があるということを、ぼくは即座に感じていた。青々とした大きな木々、細い道に沿って並ぶ種々の花々の彩り。ぼくたちはサンゴ石灰岩で造られた古い教会を通り過ぎ、柔らかな風の中を静かに抜けていった。幽霊映画のような、おどろおどろしい音楽もなく。

ヴィラ・マーマリンはカナダナイ・スールと呼ばれる地区にある小さな浜辺に建っていた。ここがシキホールで一番美しいビーチ、というわけではない。短くて狭いし、浅く、石だらけだからだ。けれど、だからこそこの場所は落ち着いていて、観光客の活動もおこなわれていない。ぼくを乗せた三輪タクシーは、大通りから折れて赤土の小道に入り、荒れた土地と、二、三軒の民家を過ぎていった。右手に小さなテニスコートがあるのを目にして、少し不思議に思った。ヴィラ・マーマリンは突き当たりにあった。茂る木々の陰に隠れて、建物はほとんど見えなかった。

原田淑人《はらだとしと》さんはかつて教師をしており、現在はヴィラ・マーマリンのオーナーだ（「マーマリン」（Marmarine）は、「マー」（mar）という地元の人が年上の女性を呼ぶ敬称でありスペイン語で「海」と訳せる言葉と、英語でこちらも「海」と訳せる「マリン」（marine）を合わせた言葉だ。淑人さんの妻は「マリエ」と言い、地元の人々は彼女のことを「マーマリン」と呼んでいる）。彼は背が高くて細く、ひょろりとしていて、日に焼けた肌の濃さはフィリピンの人と変わらなかった。けれども顔つきは生まれをはっきりと示していて、彼と他の従業員との見分けはすぐについた。その朝ヴィラ・マーマリンにいた全員がアロハシャツを着ていた。淑人さんの特徴的な笑みとともに、形式的な挨拶としての握手がぼくを迎えてくれた。ぼくたちの立っている木の床のバルコニーは、小さなレストランとしても、ヴィラのフロントとしても使われている。バルコニーは、モモタマナの樹頭を越えてせり出していた。眼前の風景は広大で穏やかな海。澄んだ水が白い雲を反射して、まるで鏡を敷いて上下が逆さの絵を映しているようだった。

ぼくのために用意されたコテージはまだ清掃が終わっていなかった。淑人さんは、荷物を事務所（バルコニーの内側にある小さな部屋のことだ）に預けておくようぼくに勧めた。そしてもし興味があれば、コテージに入るまでのあいだ、島内見学に連れていってくれるように、バイクのドライバーに連絡してみるとのことだった。ぼくがそれを承諾すると、彼は誰かに電話をかけた。

その誰かを待っているあいだ、ぼくは奇妙な思いとともに海を眺めていた。こういう海の景色を見たことがないわけではない。ぼくは世界ランキングに入るくらいに美しいビーチだらけの国から来たのだ。目の保養にはなるが新しいものではない。賞賛とともに海を眺めていたわけでもない。ギリシアの哲人タレスが万物の根源であると考えたものの美しさに恍惚としていたわけでもない。疑念と、タイを出発してから今日までのたくさんの出来事が頭の中で反芻され、説明の難しい感情が生まれていた。なにもしなくていい、なにもすることがない、そしてなにもできない短い時間が静寂の中に挿しこまれた刺激で、ぼくは、自分がここまで旅してきた理由について考えた――自分自身に挑戦するためなのか、他人の信仰を消し去るためなのか、破壊するためか創造するためか、あるいはぼくが旅立ってきた場所で抱いていたたくさんの疑問に答えを出すのを避けていることへの言い訳にするためなのか。ぼくの知っているすべての人とものから遠く離れた誕生日の朝だった。そのせいでぼくは少しずつ自分自身に近づいていかなければならず、だんだんと重苦しい気持ちになってきた。

二〇分後、ぼくを島内見学に連れていってくれるバイクのドライバーに出会った。彼は地元の青年で、名前をマックスといった。

マックスはぼくに、なにを見にいきたいか訊いた。ぼくは、マックス次第で、どこでもいいと答えた。魔女と祈祷師以外は、シキホールについてなにも知らなかったし、その魔女と祈祷師も一体どこにいるのかわからない。マックスは笑って、ぼくがシキホールに来た理由はそれかと尋ねた。ぼくは、そうだ、けど、ただ話を聞いてなにをしているか見せてもらいたいだけだ、と答えた。マックスは、連れていってもいいが、今日はできないと言った。ぼくをバイクに乗せてドライブできるのは、およそ二時間だけだそうだ。ぼくはそれで問題ないと言った。ぼく自身も、そんなに急いで魔女や祈祷師と会いたいとは望んでいなかった。少なくとも、船から下りたばかりのこんな朝には。

マックスは英語が得意だった。きびきびとしていて、顔立ちの整った青年で、まだ二〇歳にもなっていなかった。ぼくは彼のバイクの後ろに乗り、大通りに戻っていった。マックスは、海沿いの道を走って海風を浴びようと言った。「そのあたりは、地元の人たちの墓地なんだ」。

ぼくが島を旅するとき、墓場が目的地の中に入っていることは少ない。ただ、魔女や祈祷師に会う前の練習だと思えば、それも納得できた。

黒魔術の島の道路を走る車の量は多くなかった。タイミング次第では、ぼくたちの小さなバイク以外には人や他の乗り物の姿が見えないくらいだった。マックスはバイクを運転しながら、シキホールについての基礎知識をぼくに教えてくれた。人々がぼくの耳に吹きこんだ「黒魔術の島」は、シキホールの住民がこの場所を呼ぶ名ではないということ。そしてこの島はかつて、フィリピンがスペイン

ヴィラ・マーマリンのビーチ

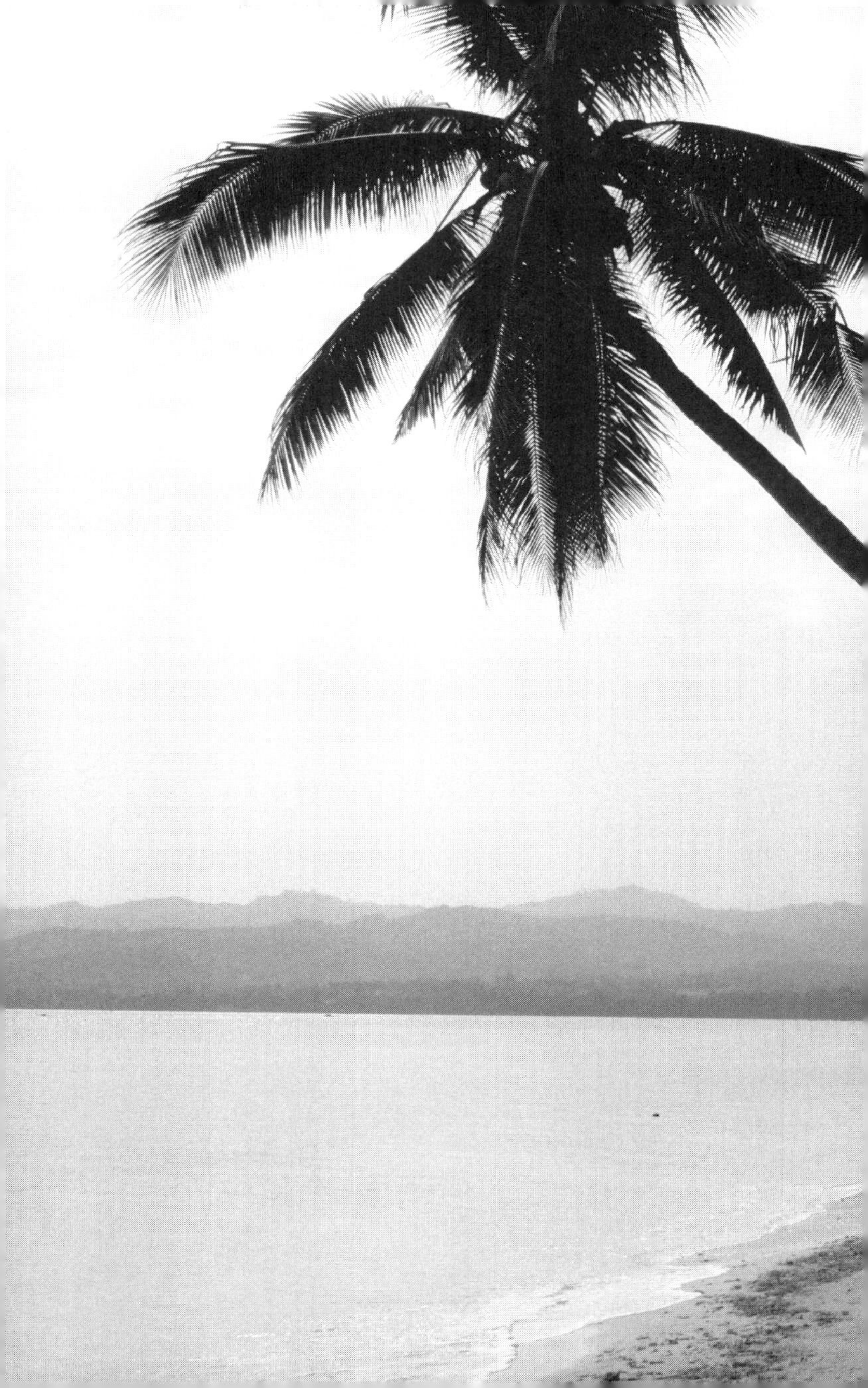

の植民地だった時代には「火の島」と呼ばれていたということ。「遠くから見ると、この島の周りに火がともっているように見えたんだ」。マックスは言った。「とある木のせいで見えた錯覚だと言った人もいた。その木には鮮やかなオレンジの花がついて、火のように見える。その木はもうこの島には生えていないから、ぼくも本当かどうかは知らないけど。蛍が群がっているせいで火のように見えると言う人もいる。今夜ためしに見てごらんよ。蛍はまだいるかららね」。

ぼくに「なにから逃げているのか」と自問させるに至ったものは、マックスが連れていってくれた海沿いの墓場と、火と黒魔術に満ちた島で本当に「ひとり」でいる状況に対して抱いた感情だったのだと思う。ひとりで旅をしているときにこんな自問をしたのははじめてのことだった。海沿いの道で、ぼくは自分が一瞬で消えていくようすを思い描いた。明るく強い陽射しの下、藍の波に並んで、跡形もなく消滅する。遠く離れたぼくの知人たちは、なにも疑わない。彼らはぼくがどこにいて、いまなにをしているかも知らない。もしマックスが地獄の使者なら、彼の仕事は簡単で周到だ。ぼくは自分から彼に近づいて、彼がぼくを連れ出すのに従ったのだから。

それは、ぼくが答えなければならないと感じた問いだった。この旅で絶対に答えなければならないただひとつの問いかもしれなかった。

ヴィラ・マーマリンのコテージ。その夜ぼくは蒸し暑さと闘いながらうなされていた。なにかの虫が蚊帳に何度も何度も激突していた。蛾が窓に止まっていて、暗闇と静寂の中で寝ることに慣れていない都会の人間を嘲るように覗きこんでいるみたいだった。「自然」のただなかで。コテージから何歩と離れていない浜辺の波の音すらなく。

目を閉じて眠ろうとする努力は実を結ばず、結局ぼくは目を開けて天井を見つめ、腕を枕にした。適当なタイミングで、疲れがぼくを支配しにくるのにまかせたほうがいいと思ったのだ。

突然、小さな緑の光が上のほうで点滅しているのが見えた——蛍だ。蛍が迷いこんで近くに止まっていると知ったぼくは、奇妙な安堵を覚えた。今朝は神が空を開いて晴天を生み出し、ぼくの誕生日を祝ってくれた。そしてそのあとは、シキホール島の象徴が姿を現して、ぼくを温かく迎えてくれている。ひどく混乱しているが、特別さに満ちた濃厚な日だ。意味と、ぼくに気づきを与えてくれる兆しでいっぱいの。もしかすると神聖なるものは本当に存在して、ぼくはそれに逆らうような問いを投げかけて時間を無駄にすべきではないのかもしれない。

緑の光が点滅するリズムと、ぐるぐるとめぐるぼんやりした思考が、ぼくを眠りにつかせた。

「自然」の音を目覚ましに、柔らかい陽射しを浴びる朝は、まるで夢の暮らしだ。それだけに収まらず、その朝は、ぼくが笑いとともに目覚めを迎えた朝でもあった。見上げると、蚊帳の上にある緑の光はまだ点滅を続けていた――ぼくの眠りの友、小さな蛍。それは火災報知器のライトだった。

神もひとりである。ところが悪魔となると、ひとりどころか無数の仲間に囲まれ、まさに大軍《レギオン》をなしている。

——ヘンリー・デイヴィッド・ソロー
「孤独」、『ウォールデン』［☆1］

人間社会が自然に与える破壊がひどくなったのは、産業革命以降のことである。自然を回復するためには、特別な社会システムを創造する必要はなく、たんに産業社会を壊滅させればよいのだ。

——セオドア・J・カジンスキー
『科学技術の奴隷　セオドア・J・カジンスキー選集』［☆2］

2

魔女　ソロー　魔術師　テロリスト

そして心騒ぐ孤独

毎朝、シキホール島で目を覚ますたびに、ぼくは周囲の世界を再構成するのにかなりの時間を使った。ここには日常生活という言葉もなければ、予定通りという言葉もないし、スケジュールという言葉もない。毎夜、「明日」という概念をもたないまま眠りにつく。地元の人とコミュニケーションをとる手段もなければ、二本の足以外には、自分自身の力でどこかに行く方法もない。しかもその足が近くの集落にぼくを連れていってくれるのには、一時間ほどもかかる。昨日の世界と今日の新しい世界が連続したものである必然性は、ほとんどないのだ。

ひとりで島を旅することが、自由をもたらしてくれるわけではない。多くの制約があるし、見知らぬ人々に頼らなければならない。当然、もっとも簡単な選択肢は、なにもしないということになる。周りには、そこに「とどまり」、「時間を無駄にすることを楽しむ」ようにと身も心も誘惑するものだらけだ。コテージのドアを出て二〇歩もしないうちに、足が白砂に触れる。目の前には海原と大空。ヤシの木々とその木陰は、そこで本を読んだり、寄りかかって穏やかに午睡したりする誰かを待ちわびている。ぼくにはありあまる「空き時間」があって、息苦しく感じるほどだった。

これは、ぼくのロマンティックな世界観において、かつて何度も手に入れたいと願った「夢のような」状況のはずだった――混沌とした社会から逃れ、遠く離れた静かな島の上、自然に近づいて、自分の力で生活することができる機会。精

☆1 H・D・ソロー『森の生活 ウォールデン 上』、飯田実訳、岩波文庫、一九九五年、二四八頁。

☆2 選集は未邦訳だが、引用元の論文「産業社会とその未来」は『タイム』誌編集記者チームの記事をまとめた以下の書籍に収録されている。訳は同書より引用。『ユナボマー 爆弾魔の狂気――FBI史上最長十八年間、全米を恐怖に陥れた男』、田村明子訳、KKベストセラーズ、一九九六年、二九〇頁。

神的な話をつけくわえておけば、これは「神聖なる力」の「教え」に近づくことでもあったと言うべきだろう。耐え忍び、鍛錬を続ければ、悟りに至ることができるというわけだ。

「孤立」したいという欲望は、「個人」の概念とともに生まれた感情だ。たしかに「個人主義」は、近代社会や近代性の誕生や、啓蒙主義の時代の思想への信頼が生まれるのと同時に言及されるようになった概念だ。だが、ひとりの人間が他の人類同胞とは異なる感情や、自分自身の「アイデンティティ」や「特別さ」をもつという点での「個人」は、少なくとも古代ギリシアの哲人たちの時代から存在しているものだ。個人性は、宗教への信仰という考え方とは矛盾するものに見えるかもしれない。だが人間が宗教の開祖や神、そして神聖なるものに抱擁されんがために進む道を探求するよう促すのに、個人性は重要な役割をもっていた。彼らは神から直接「啓示」を受けているように感じたり、大多数の人々の生き方とは異なる修行を通じて、奇跡を待ち望んだりしていた。贖罪、救済、昇天、涅槃、来世での生まれ変わりとよりよい人生などについての信仰はすべて、個人性という土台があってこそ、本当の意味で生まれるものなのだ。それゆえ、精神的なことがらに夢中になったり憧れたりする人々の中で「孤立」がひとつの慣習的実践になっていたのは、不思議なことではない。

ラヴ・アンド・ロケッツのNo New Tale To Tellを聴いたのと同じ時期のことだ。ぼくは、一九世紀に(他人の目からすると)奇妙な生活を送っていた、アメリカ人男性の名前を知った。その男性の思想と名声は、いまでは世界中に広まっている。ぼくがその男性の名前を知ったのは、ぼくの通っていた学校がかの有名な小屋から車に乗ってわずか二〇キロのところに位置しており、ぼくの好きだった教師がその男性の話をいつもしてくれていたからだった。

ヘンリー・デイヴィッド・ソロー(一八一七-六二年)。それがその男性の名だ。ぼくの頭にソローの名前を植えつけた教師は、普段は英文学を教えていた。だけどぼくが履修していたこの教師の授業は、「Walking」あるいは「歩く」という科目だった。ソローの文章や思想、そしてその実践から影響を受けた科目で、簡単に言うと、教師が学生の集団を連れて、森の中をただ歩いていくというものだ。

二時間ほど歩いたのちに、歩いて戻る。なにかを教えることもしなければ、会話もしない。それは、ぼくたちが周囲の自然を観察し、音と光が身体と感情に与える刺激と、そこから生まれるさまざまな感覚に対して繊細になるように時間をかけるための授業だった。けれども、不真面目だったぼくや友人にとって、この科目は、スポーツをすることなく「体育」の単位をとるためのものだった（なんだって！　歩く授業！　ただずっと歩いて、それから歩いて帰ってくる！　歩いたら体育の単位がもらえる！　いままで聞いた中で一番イカれてて最高の科目だ、履修しなかったら生まれてきた意味がない！）。

ヘンリー・デイヴィッド・ソローは、アメリカ知識人の歴史において特別な位置にいる。彼はセンセーションを巻き起こした作家であり、その思想は「超越主義」と呼ばれる哲学に分類され、白人中心だった当時のアメリカ社会のほとんどすべての流れに逆らった政治活動家・講演家でもあった。彼は奴隷制の廃止を推進していたし、アメリカの海外侵攻に反対していた。政府が正当性を欠くとみなして「市民的不服従」を貫き、税金の支払いを拒否して投獄され、人々の記憶に

ソロー

残ることとなった。無政府主義者たちは彼をその手本として賞賛するし、環境保護主義者たちは「地球愛護」の先駆者のひとりとして彼を称えている。

だがソローの人生を、のちにまで語り継がれる伝説に変えたのは、一八四五年から四七年のあいだの、彼の「孤立」だった。彼はマサチューセッツ州コンコードのウォールデン池のほとりに小さな木の小屋を建てた。その土地は超越主義哲学者の代表格であり、ソローを常に支える先達でもあった、ラルフ・ワルド・エマーソンのものだった。

ソローの小屋には、ベッド、仕事机、椅子、暖炉、そして薪を保管するスペースがあるだけだった。彼は可能な限り切りつめた、質素な生活を求めていた。彼の小屋は、隣家から一キロ半ほど離れていた。彼はこの暮らしを「実験」と呼んでおり、その主な目的は、部屋にこもって執筆に専念することだった。だが同時に、自然とともに過ごす孤独な暮らしから得られる教訓が、人間にとって望ましく、最上の価値をもつものであるということを証明したいという欲求にも満ちていた。

超越主義哲学の根幹は、規則的で体系的な社会と産業の繁栄から離れて、自然における「純粋」と「自由」に回帰し、文明の手垢と束縛からも逃れた、本当の意味での個人性を身につけ、学ぶというところにあった。超越主義者たちは山林を旅することを好み、星月の明かりの下でテントを張って眠り、自然と人間のあいだの直接体験や、自然そのものについての詩を書いた。「超越」という言葉が意味するのは、「離脱」あるいは「上昇」していく状態のことであり、超越主義者たちにとっては、個人の精神的な「上昇」のことを意味していた。それは、自然との相互関係を経て、俗世を超えたところにある純粋さや神聖なる力と融合して、ひとつになるというものだった。彼らは、特定の宗教やその開祖への信仰はもっていなかった。ただし、当時の東海岸の教育界で力をもっていた、キリスト教のユニテリアン主義の影響を受けていた。さらに彼らは、東洋の思想、特にインドの宗教文学にも関心があった（ソローは叙事詩『マハーバーラタ』の中の「バガヴァッド・ギーター」をとても好んでおり、自分の文章に引用もしている）。けれども、本質的な意味での超越主義者とはすなわち、「唯心論」の一分派であり、命と魂がもつ神聖性への信仰のほうに傾いた哲学者たちのことであった。唯心論は、もう一方の「唯物論」の哲学と並行して、長い思想的歴史をもっている——互いが互いを、形而上学の両極にいるとみなしているのだ。そして、ここで言う「超越」はおそらく、世界や生への物質的な認識を超えたところに「上昇」していく状態のことも意味していた。唯心論者は、そういった物質的な認識を低俗なものだと軽蔑していた。

超越主義哲学の父であるエマーソンは、「超越主義者」という講演の原稿に、はっきりと書き残している。

唯物論者は、事実、歴史、境遇の影響力、人間の動物的欲望に固執し、いっぽう唯心論者は、「思考」と「意志」の力、霊感、奇蹟、個人の教養に固執します。これら二つの考え方はどちらも自然なものですが、唯心論者は、自分の考え方のほうが高尚なのだと主張します。〔……〕唯物論者は誰でも唯心論者になるでしょうが、唯心論者があともどりして唯物論者になるような

ことは、けっしてありません。［☆3］

この唯心論のさまざまな分派をどう定義したり、どう名づけたりするかにかかわらず、その本質は、宗教、神聖な力への信仰、そして神、そしてより高次の、よりよい、より魅力的で、より深遠な、「他の世界」をも生み出す契機となった感情と同じものなのだ。「精神的なユートピア」か「知の楽園」が、精神と魂を用いることでしか到達できない場所にある、という信念をもっているとも言えるだろう。そして知や精神の楽園に到達したり、「達成」したりすることは、人類が目指すべき最高の目標だとみなされる。それゆえ、唯物論的な世界観はもっと低俗で、冷酷で（人間を他の動物と変わらないものとして見るからだ）、やるせなく、

☆3　エマソン「超越論者」、『エマソン論文集　下』、酒本雅之訳、岩波文庫、一九七三年、七一－七二頁。なお引用元翻訳書では「超越論者」のタイトルが使用されているが、本文中ではそれまでの表現と統一して「超越主義者」と表記した。

無意味なものだと軽視される。

宗教を信仰する人々は、自分のことを唯心論者だと考えはしないだろう。というのも、宗教への信仰の大部分は、世界のなりゆきはすべてその開祖の作品ないし欲求の表れであると考えるからだ。少なくとも（たとえば仏教の場合などは）、宗教の開祖は万物の絶対的な「真理」を知る唯一者であるから、信者たちに自ら探求させたり、考察させたりする必要もなく、そこに到達するための実践について定義することができる。一方の哲学は、明確な「答え」を示してはくれない。たとえ唯心論が人間世界の原理よりも高尚な知の楽園を信じていたとしても、そこに足を踏み入れるための厳格な条件やイメージを提示してくれるわけではなく、「上昇」の規則を定義してくれる聖典も存在しない。そこで信じられているのは、あくまで個人性であり、個人的な到達なのだ。なぜならその答えは「謎」であり、言葉で表現したり、書き言葉としてまとめたりはできないものだからだ――ここが宗教と哲学の大きな違いだ（それゆえ、多くの書店がしているように、宗教書と哲学書を同じ書棚に並べるようなことはすべきではないのだ）。正しくてよい宗教心とは、すなわち、自分の頭で考える必要はなく、自我をもつ必要もないということだ（つまり、自分の考えを封じこめて、自我を押さえつけておくということだ）。高いところにいて力添えをしてくれる、全知の開祖の教えに従いたまえ。かたや哲学は、生きることの意味と世界のなりゆきを探求しようとする人間の個人性や個人的な欲望から生まれる。たとえ目印となる旗がすでに立っていたとしても（たとえば唯心論が精神に対してもつ信念のようなものだ）、その旗はどこの軍によって掲げられているわけでもない。宗教の開祖のような、反論することも触れることもできない、人知を超えた哲人などは存在しないのだ。むしろ哲学は、相互の思想的な議論と論破の歴史によって成立している。一方の宗教の歴史とは、信徒を独裁的、差別的、抑圧的、魔女狩り的に管理することだ。異なる思想をもち、違う宗教を信仰する人間を殺戮するに至った例も数多くある。

だが、宗教への信仰と唯心論的思想の共通点――生きるということには、「目に見えるものやそこにあるものよりもたくさんのもの」（物質的なものよりもたくさんのもの）が存在し、人間はその高尚なものに向かって「上昇」し、「達成」

することができると信じること——はまた、人間を「孤立」や、ロマンティックな思想へと導く礎になっていた。それはすなわち、精神的な楽園へ向かうための道を自然の中に見出すという希望のことだった。言ってしまえば、超越主義的な唯心論の哲学は、宗教的な特質をもっていたし、宗教への信仰は、唯心論的な特質をもっていたということだ。

ソローの名前を不朽のものとした著作は、『ウォールデン』（一八五四年）だ。彼がウォールデン池畔の小屋で孤独な生活を送った「二年と二ヶ月」の記録であるこの作品は、自然を愛する人々や、ロマンティックな唯心論にもとづいて精神的な探求をおこなう人々、環境保護主義者、そして産業技術社会に反感をもつ人々の「聖典」となった。ソローの二年と二ヶ月の体験談は世界中の多くの人々の心に火をつけた（特にヒッピーの時代には、政府と、前世代の人々の道徳的価値観への信頼を失った若者たちの原動力となった）。彼らは社会と距離を置こうと心に誓い、あるいは夢見て、自然の中に居場所を探し、自らの手で住処を建てて、大多数の人々との交流を拒否し、できる限りの質素な生活を送ろうとした。

ウォールデン池畔に建っていたソローの小屋

唯心論では、哲学においても宗教においても、人間は他の生き物よりも特別な生き物であると信じられている。だがそう信じる人々にとっても、高尚で神聖な力に比べれば、人間はいまだ「劣った」存在だ（だから、「達成」し「上昇」し「到達」するための道を探求しなければならないのだ）。簡単に言ってしまえば、彼らは、生命には精神的な階級があると考えていた。ここに、人類同胞への不信と軽蔑という、深く矛盾した感情が生まれる。「食べて、出して、まぐわって、寝る」だけの人生を送り、神聖なるものへの敬意もなく、それらを求めることもなく死んでいく凡夫たちは、知的に劣っていて、煩悩にとらわれており、本能と物質に依存しすぎて「解脱」することもできないし、少なくとも不合理な人生を送っており、ただ「日々を過ごしている」だけだとみなされる（宗教であれば、これらの人々は地獄に堕ちるか、来世で「畜生」に生まれ変わるとすら言われてしまう）。ソローの思想にも、世間の人々をあからさまに皮肉るような特徴があったし、超越主義の思想にも、傲岸不遜な人間のようすが見てとれる。彼らは、高尚で神聖なるものに対して自分たちがもつ信仰に、誇りをもっていた。

ある面では、ソローのような人間には、伝統に無関心で、非論理的で社会的に不公正な実践には固執しない、反乱者のようなイメージがつきまとう。そのイメージは、多くの人々が『ウォールデン』を読み、自らを革新しようとやっきになって立ち上がり、慣習や多くの愚蒙なことがらという檻から脱出を試みる動機になった。その結果、ソローは権力を敵視する多くの活動家の英雄となるに至ったのだ。だが別の見方をすれば、ソローは人間の中の「有徳」の度合いに序列をつけていて、自身が追究するものとは異なる方法に偏見をもっている、ということも示している。この偏見のあり方は、信仰しない人間は「異端」であり、自然に隠された神秘に気づかず、神と交信したこともない盲唖のまま「停滞」しているとみなす宗教に近いものがある。

唯心論とロマンティックな世界観から影響を受けた多くの人々の「孤立」したいという欲求には、エマーソンやソローのような超越主義者たちの探求を推進したものに似た原動力が混ざっていたようだ。それはつまり、人間と社会を否定する感情のことだ。たしかに彼らは、自然とともに生きる自給自足の暮らしのイメージを用いて、平易さ、心の平穏、慎み深さについて示そうとしている。だが彼らの人間と社会への否定には、他者を見下し、自らを「超越している」とみなす感情が混ざっていた。仏教の教えを例にとるなら、人間を四輪の蓮花に分けた上で、多くの人間は四輪目の花であると考えているのに近いだろう。それはすなわち「文句為最者」、言葉にとらわれて真実の教えを理解できない無知の人々であり、泥に埋もれた蓮の花である、ということだ。

このような「孤立」には哲学的な性質と宗教的な性質の両方がそなわっている――自然（世界に存在するあらゆるもの、という意味での「自然」）を超えた神聖なるものへの信仰をもっていて、他者の方法よりも優れており、自らが「本物」であると信じる、なんらかの実践や道徳的価値観に固執しているのだ。

「神聖なるもの」の抱擁を求めておこなう「信仰の逃避行」は、換言すれば、そこに見えて、そこに存在するものを否定することでもある――人間の愚かさとは無縁の「楽園の島」への信仰。

マックスは、ぼくを「魔女」のところに連れていってくれると約束した。この「魔女」は、地元の言葉では「マナナンバル」（Mananambal）と呼ばれる。簡単に訳すならば「伝統医」であり、外の人間から見れば、それはつまり「魔女・祈祷師」のことだ。彼が言うには、マナナンバルは島のあらゆるところに住んでいるそうだ。多くはとても年老いており、孤立した生活を送っているため、約束をとりつけるのも難しい。自分自身で連絡をとるか、直接会いに行くという危険を冒さなければならない。もし著名なマナナンバルに会いたいとなると、その何倍も難しい。何ヶ月も前から予約をとらなければならないし、消息が掴めないマナナンバルもいるそうだ。それは別に透明人間になれるとか、空を飛んでいってしまうからというわけではなく、常に島外の人間の治療に呼ばれているからだ。遠く海外まで頻繁に旅する者もいるらしい。ぼくをどの魔女に会わせることができるのか、マックスにはわかりかねるようだったが、ひとまず問いあわせてみてくれるとのことだった。

ふつう、フィリピンでの約束というのはそれだけである種の危うさをはらむ。

シキホール島のとある学校に掛けられた、針のない時計

時間通りにものごとをなすことに必死であると言われる日本人とは正反対に（とはいえ実際は、すべての日本人がそうだというわけでもない）、フィリピンの人々は、自分の遅れやその不確実さに誇りをもっているようだった。それが文化的慣習として守られているのではと思うことすら、何度もあった。

ぼくが「ピノイ」（フィリピンの人々が自分たちを呼ぶ言葉）のやり方に不慣れだったはじめの頃は、約束のたびにほとんどかならず一時間以上彼らを待ち続けなければならないことにいらだっていた。しかも彼らの「フィリピン時間」あるいは「Filipino Time」だ、という言い訳を聞くたびに、もっと頭に来ていた。不躾で醜悪なほどのブラックユーモアだと思ったくらいだ。だが何度もその言葉を耳にして（そして、むしろ彼らの文化を理解しないぼくの過ちなんだと思わされるようになってきて）、フィリピンの人々やその習慣に慣れた外国人にとって、「フィリピン時間」とは、その言葉の表す通りにきちんと遅れるという意味で、むしろ「有言実行」なのだと理解できるようになってきた。誰も、それをおかしなことだと気にとめたりはしないのだ。

「フィリピン時間」が、約束をあいまいなものにしておくための許可証だとしたら、「シキホール時間」は、約束というものの存在を、人生における期待から完全に取り除いておくべきだという定則だろう。マックスがぼくに、「明日」、迎えに来て、マナナンバルのところに連れていってやると言ったとき、何時に待ちあわせるのかは教えてくれなかった。こちらが尋ねても「ここで待ってて。着いたら迎えに来るから」と言うだけだった。だがぼくには、この島を連れ回してくれるたったひとりの人間に、うるさく文句を言う勇気はなかった。これは、シキホール時間を使ってフィリピン時間を消費する訓練のようなものなのだと思うことにした――もはや約束とは呼ばないほうがいい。空虚な言葉となにも変わりはない。すべては天次第だ。

淑人さんは、ヴィラ・マーマリンにひとり旅の旅人が宿泊することはそう多くないと考えていたようだ。だから、孤独を愛する人間のためのコテージは一棟しか建っていなかった。ウォールデン池畔にあったソローの小屋とこのコテージの部屋の内部は、そんなに違いがないのかもしれないと、ぼくは考えていた。ベッドと仕事机と椅子だけの部屋。コテージでは、そこにバスルームが追加されている。おかげで、ぼくはここにやって来たそのはじめから、ソローのことを思い出していた。

ソローの思想と著作に関する興味は、ゆっくりとぼくの中に染みこんでいったもので、ぼくの好きな教師の「歩く」授業を履修したその瞬間に生まれたわけではなかった。けれども、その菌が脳内に繁殖してからは、かなり強い感情が湧いていた。「孤立」は、いつか機会を見つけて叶えたいと思う夢に変わった。禅の思想に夢中になっていた大学時代には、ソローのように「自然を研究したい」という欲求がさらに強くなった（禅の教えの多くは自然を媒介として利用していて、禅僧は世間から離れて瞑想に耽るべく、孤立することを好んだ）。ロマンティックな世界観にハマってしまったというわけだ――近代社会の方法を否定して、「森の人々の生活」のような素朴さへと還っていく。テクノロジーと「物質主義」への偏見。「質素」や「切りつめる」といった言葉の周りを行ったり来たりすること。それらこそ、人生のあるべき姿だと真剣に考えていたほどだった。超越主義とロ

ヴィラ・マーマリンのコテージ

コテージの前のビーチから見える、大空と海原

マンティックな世界観の、一時的な信徒になっていたのだ。

黒魔術の島が与えてくれた霊感のおかげで、ぼくは他のなによりもこれらについて考えることになった。スピノザと汎神論の自然に関する思想は、超越主義者やぼく自身のロマンティックな世界観に対して、疑念を示し続けていた。フィリピン時間はなんの助けにもならなかった。疑念は約束もなく訪れ、去っていこうともしなかった。

「シキホール時間」の奇妙なところのひとつは、たとえ希望がないにしても、そこで失望をすることもそうそうない、ということだ。マックスはぼくのコテージの前にやってきた。目的もなく進む時計の針を眺めることは、永遠の孔穴を覗きこむようなものだと気づいてから、ぼくは時計を見るのをやめていた。

「あなたに会わせるマナナンバルが見つかったよ。ただ、ぼくたちが行くときに、彼女がなにをしているかはわからない。彼女はすごく年をとってるんだ」と、マックスは言った。ぼくはうなずいた。「わからない」という言葉は、避けることも抗うこともできない日常の一部になっていた。

前日、マックスが説明してくれたところによると、シキホール島の「伝統医」は、多くの人々が理解したり非難したりするような魔女や祈祷師ではないということだった。彼らは民俗知をそなえた「治療者」なのだ。心を用いて訪問者の健康問題を分析し、どのような方法で治療すべきか、診断を下す。ときには呪文を唱えたり、神聖な儀式を執りおこなう。だがそれらはすべて治療のためだ。だからこそ、この島の魔女や祈祷師たちは、一部の人々から敬愛されているのだ。大金を積んで、海外にまで治療に来てもらうほどに。

「それなら、黒魔術の物語はどこから来たんだ」。ぼくは訊いた。

「黒魔術も、あるにはあるんだ」。マックスによると、マナナンバルについての負の物語は、汚名を着せられて汚れきってしまっているが、事実もいくらか混ざっているということだった。まじないや呪文は悪行のために用いることもできるし、闇の力に恍惚としてしまったり、不適切な行為のために雇われたりするマナナンバルも存在する。だがそれらは、シキホール島のマナナンバルの一般的な

朝の窓辺の友

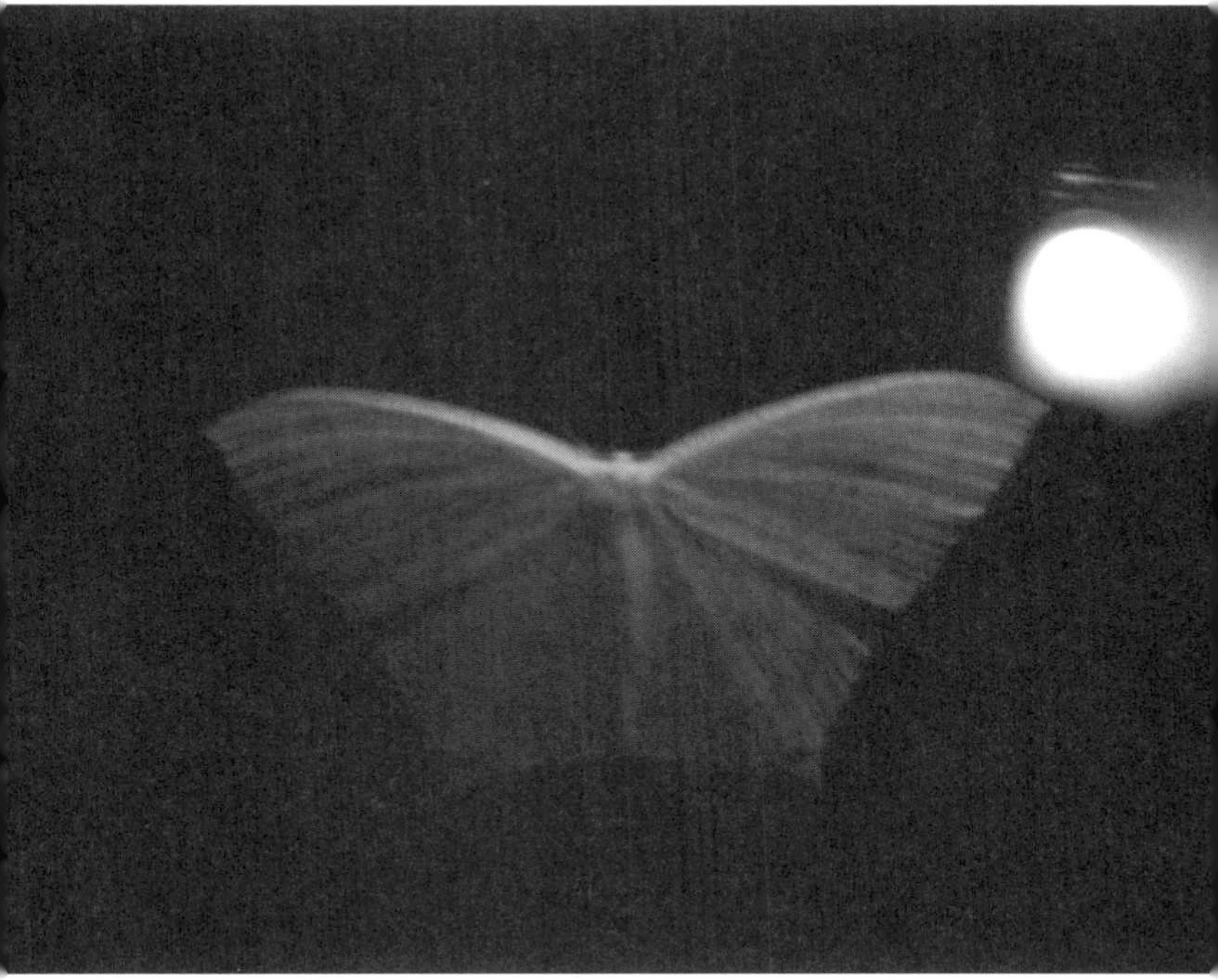

夜の窓辺の友

性格ではないと、マックスは断言した。

　タイのホラー映画のワンシーンのようだった。ぼくを乗せたマックスのバイクは、荒涼とした森の前に停まっていた。ヴィラ・マーマリンからの道中、ぼくは心を落ち着かせようと試みていた。「シキホールの魔女」とのはじめての出会いに、怯えることがないように。黒魔術の島は毎日のように晴れ渡り、身の毛もよだつ、ぴかぴかした雷光を生む灰色の雲が訪れる兆しはまったくなかったし、そこが秘匿されたものの在処であり、呪文で守られた場所であることを示すようなしるしもなかった。

　目的地に連れていかれる前に、ぼくは何度か自問していた。もし言い伝えのすべてが事実だったら。もし黒魔術の島の魔女や祈祷師が闇の力をそなえていて、人々を呪うことができたなら。それはつまり、ぼくは自ら進んで危険に向かっているということだった。その結果を受け入れることができるのか？

　だがこの問いへの答えは、フェリーを下りてここに来た日に、すでに出ていた。

　マックスは、道端の大きな木の横にバイクを停めた。それから歩いてぼくを先導して、荒涼とした土地に入っていく。ぼくらはまもなく、地元の人の小屋を通り過ぎた。鶏小屋、山羊の群れ、貯水タンク。誰かの私有地に侵入しているようだった。マックスが、家の中でミシンの前に座っている中年の女性に向かってなにかを叫んだ。道を尋ねる会話だろう。ぼくは青年のあとをついていく。赤土の道がだんだんと狭くなっていき、ついに道としての姿を失うところまで来た。ぼくたちは緑の茂る林のようなところを突き進んでいく。石と、錆びついたなにかの器具でいっぱいのゴミの山を越える。ついに、マックスがぼろぼろのトタン小屋の前で立ち止まった。それは人の住処というよりも、倉庫に見えた。

「マナナンバルはここにいる」

マックスはトタンの壁を軽くノックしたが、それだけで小屋全体が大きく揺れた。中からはなんの反応もない。青年は同じことをくりかえした。今度は、しわがれた声が壁の継ぎ目から漏れ聞こえてきた。マックスは扉を押して、中に入っていった。

花柄の服を身につけた、灰色に白の混じる濡れ髪の老婆。七〇歳はくだらない。

シキホールの人々の「伝統的な家」

海辺の墓地にある墓のひとつ

彼女は木製の床几《しょうぎ》に横たわっていた。床に置かれた壺と、古くなった雑巾以外には、身の回りになにも置かれていなかった。老婆の顔色は、ぼくたちの来訪をあまり歓迎していないように見えた。だがマックスが二言三言話すと、彼女は起き上がって、座るかっこうになった。

ぼくたち二人が小屋にいるあいだ、老婆がぼくとマックスのほうをまっすぐ見ることはなかった。彼女は伏し目がちに、ずっと床を見つめていた。ぼくがここに来た理由をマックスが伝えたのだろう、彼女が手招きして、ぼくを近くに呼んだ。彼女がなにかをつぶやくと、マックスがぼくに座るよう言った。それから老婆は、ぼくの左手首を静かに掴んで、しばらくそのままにしていた。ぼくは、脈を測っているのだと思った。手を離すと、老婆はマックスにぼそぼそとなにかを言った。

マックスが通訳をしてくれた。魔女が言うには、ぼくはストレスを抱えているので、それを軽減してくれるということだった。彼女は服のポケットを漁ると、なにかを掴んで取り出した。同時にもう一度、ぼくの手首を引き寄せた。

マナナンバル

魔女は握った拳をもち上げて、唇のあたりに寄せた。小さな声で呪文を唱えると、それを手の中にあるものに吹きつけた。ぼくはこのときはじめて、そこにあるのが二〇粒ほどのもみ米だということに気がついた。

何秒もしないうちに、ぼくの左手首は魔女のつばで湿った米粒を塗りたくられ、磨かれていた。同時に彼女の口から、祝福の言葉か、まじないか、呪いかなにかの言葉が塊になってあふれていた。そばに立つマックスは、この儀式をすました顔で見つめていた。彼はこのようすを見たことがあって、もう慣れているのだろう。一方のぼくは、マナナンバルの魔力を畏れるよりも、つばで病気がうつらないかと心配になっていた。

ぼくがアメリカで学んでいた一九八六年から九七年にかけて起こった事件の中で、他のどれよりもはっきりと記憶しているものが三つある。ひとつ目は、ジョージ・ブッシュ（父）を指揮官とする湾岸戦争。二つ目は「オルタナティヴ・ロック」と呼ばれる音楽ジャンルを世界的な流行に導いたバンド、ニルヴァーナのヴォーカルであり、その作曲のほとんどを手がけたカート・コバーンの自殺。三つ目は、FBIとメディアによって「ユナボマー」（Unabomber）という仇名で広く知られていた、テッド・カジンスキーの逮捕だ。この秘密めいた犯罪者は、一九七八年から九五年のあいだに、自作の爆弾によって二三人の負傷者と三人の死者を出した罪に問われていた。

テッド（本名のセオドアから省略されたもの）・カジンスキーの標的と犠牲者の大部分は、大学教員と学生、航空会社、そしてコンピューター関係者、あるいはそういった知識をもつ者だった。彼の爆弾によって命を奪われた三人は、コンピューター販売店経営者、広告会社重役、木材業界のロビイストだった。

初期の犯行では、カジンスキーは爆弾の上に「FC」という「サイン」を残していた。これは「フリーダム・クラブ」の略で、捜査員にグループによる犯行だと見せかけるためのものだった。FBIがほとんど二〇年ものあいだ捜索してきたテロリスト集団の正体が、たったひとりの男だったという真実が明らかにされたとき、アメリカ国民は驚愕した。

テッド・カジンスキーの事件が他のテロリズムよりも興味深い事例となっているのは、彼がかつてハーヴァード大学の学生で、「天才少年」と謳われ（ハーヴァード大学がカジンスキーを学生として受け入れたのは、彼がまだ一六歳のときだった）、博士号を取得し、二〇歳そこそこで大学教員の職に就いていたという理由による。逮捕されたとき、カジンスキーは人里離れた小屋で生活していた。モンタナ州にあるその小屋で、彼は一九七一年から暮らしていたのだ。小屋には電気も水道も通っておらず、彼は日々「自給自足」の生活を強いられていた――誰かを思い出さずにはいられない生き方だ。

テッド・カジンスキーはテロリストだったが、超越主義哲学者たち、ロマンティストたち、環境保護主義者たちと似通った理想と思想をもち、ソローの「人生における実験」を発展させた「知識人」でもあった。一九九五年、彼は「声明」を出し、自らの立場と活動の動機を発表する。その声明のタイトルは"Industrial Society and Its Future"（産業社会とその未来）といい、分量は三万五〇〇〇語にものぼった。彼はこの声明を、もし掲載しなければさらなる爆弾の犠牲者が出るとの脅迫文を添えて、ワシントン・ポストとニューヨーク・タイムズに送りつけた。

　カジンスキーの声明は、近代社会、産業社会、テクノロジーに抵抗し、極端なほどに「自然」を信じる思想の本質を示している。「妥協」は、彼にとって受け入れられないことだった。世界と人類のよりよい未来のための変化、あるいは「革命」は、テクノロジーと産業、そしてそれを生み出したからには今後もそれを支持する責務を負っている人々を殲滅することでしか起こりえないのだ。

　カジンスキーは「声明」の一段落目から即座に要点に入り、だらだらと述べるようなことはしていない。


　　産業革命とその結果は人類にとっての災難であった。これは「先進」国に住む人々の平均寿命を大幅に延ばした。しかし同時に社会を不安定にし、生活に不満を行きわたらせ、屈辱に人をさらして、そのうえ精神的な苦しみを（第三世界諸国では肉体的苦しみも）促し、自然の世界に深刻なダメージを負わせた。引き続き発展しているテクノロジーは、状況を悪化させている。これは人々をより大きい侮辱にさらし、自然により大きいダメージを負わせることで、さらに大きな社会的破壊と精神的苦しみを導くであろう。これは「先進」国でも増加している肉体的苦痛をも導くかもしれない。[☆4]

もしカジンスキーが殺人犯でなければ、彼の著述とその思想は、環境関連の思想家や一般知識人から少なからず注目を集めただろう。彼は知識が豊富で、膨大な読書量を誇り、しかるべきデータをきちんと提示して、重要な研究成果を詳細に引用していた。それは、彼が「公共的知識人」のあるべき姿にのっとり、入念に準備をし、体系だった思索に十分な時間をかけたことを示している。「狂人」の行為とみなされてしまうような、怒りの噴出にまかせて書かれたものではないのだ。彼の声明における主張は新しいものではない（哲学と学問の流行から測れば、非常に古臭いとすら言える）にしろ、その真剣さと力強さが好奇心をかきたてることは否定できない。一部の活動家や学者（特に環境保護主義者と無政府主義者たち）が、知識人としてのカジンスキーの著作を重視したのも不思議なことではない。多くのアメリカ人にとって、彼は殺人鬼以上のなにものでもないにしてもだ。

カジンスキーの声明からまずはっきりと読みとれるのは、彼が、左派と右派、どちらの思考的枠組みからも支配されることを望まず、それらに抵抗する知識人として自らを見せようとしていたことだ。つまり彼は、社会問題とその解決策を他の誰よりも理解する人間という立場を、自らに与えていたのだ（だが、「ＦＣ」が複数人によって構成される活動家グループであると読者に思わせたのは、自身を守るための策略であるだけでなく、一定規模のコミュニティやグループとしての承認を得たいという欲求の表れでもあるだろう）。彼は何ページもの紙面を使って、「［産業とテクノロジーの］システム」に対する人間の脆弱さや敗北、そして現代のあらゆる政治的プロセスの愚鈍さ、さらに科学者の無意味な失敗を指摘している。カ

☆4　『ユナボマー　爆弾魔の狂気』、二四二頁。

ジンスキーは、自らを実証主義者の中に位置づけていた。実証主義者とは、観察と論理的思考によって知識と真実を考察する人々のことだ。それゆえ彼の声明は、綿密な分析を経たかのように体系立てて編まれている。そこに、当時の社会で流行していたような、感情と道徳観による誘導はない。彼はそういったものを、産業社会とテクノロジーがもつ権力によって飾りたてられ、支配されたものだとみなしていた。

たしかにカジンスキーは、思考に秩序をもたせ、客観的に書き記そうとしていた。だが結局のところ、その声明における主張は、簡単に要約することができるものだった。産業とテクノロジーは人類と自然に災厄をもたらす。その解決策は、産業とテクノロジーの推進力となっている権力のシステムを破壊し、人間の生活を自然に近いものに戻すことなのだ、と。

産業社会の壊滅後、どのような社会がやってこようともほとんどの人々は自然と密着して生活をするであろう。高度に発展したテクノロジーがなければ、それ以外に生活していく方法はないのだ。生計を立てていくのには、農民か牧夫、漁師か狩人にならなくてはならない。そして一般論をいえば、先進技術と急速なコミュニケーション手段のない社会では、政府や大きな組織の管理を制限するために、地元のコミュニティーによる自治が増えていくであろう。［☆5］

社会的災厄という問題とその原因を説明するのに彼が挙げているいかなる理由や論理にもかかわらず、その結論は、人類は「自然」に近い生活に戻るべきだ、というものだった。そこに、「発展」に与せず、都市社会を忌み嫌い、「自然」を、人類の生活のそばにあるべき純粋で美しき善の象徴とみなす彼の思想が示されている――この意味では、カジンスキーにとっての「自然」は、たとえ神聖な意味

☆5　同書、二九〇頁。

を与えられず、宗教的・霊的な思想に立脚していないにせよ、超越主義者たちにとっての「自然」と同じ範疇に分類される。ソロー的な、あるいは、ロマンティックな自然。それは「自然」を人間性と人間社会から分離する。

すなわち、自然を「他者」であると分類すること。

カジンスキー逮捕のニュースと、彼の掲げた思想が、ぼくの心に引っかかっていた。あまりに極端な事例ではあるが、それでもここに「自然」に対して似通った思想や観点をもつ人々の信仰や（カジンスキーなら、これは研究と思索であり、信仰ではないと反論するだろうが）、深い欲望が、なにか重要な意味をはらんで表れているような気がしたからだ。

もちろん、ソローやロマンティストのような人々の多くは、カジンスキーのように爆弾を郵送して、無垢の人々の命を奪うことはしないだろう（産業社会とテクノロジーに関わっていたり、それを支持したりしているとカジンスキーにみなされた人なら、誰でもその犠牲者になりえた。彼と個人的な関係がなくとも、相手がどんな性格の人間か知らずともよかった）。だがカジンスキーのこの事例は、「自然」に深い意味を与えることや、人類が善美に向かう方法を知る全知者として自らを位置づけることが、このタイプの自然主義者たちの思考や精神に埋めこまれた特質であることを明確に示している。そして、このタイプの人々が、カジンスキーのような極端な行為にまで突き抜けてしまいうる、ということも。

ここでもうひとつ示されているのは、精神的、政治的、宗教的な方法、あるいはカジンスキーのような活動家としての方法もあろうが、そうしたなんらかのやり方で「自然」に答えを求め、救済を望むという行為が、自分たちを劣った「他者」から切り離そうという倫理観によって推進されているということだ――結局のところ、自然を希求する人々にとって、自然の理解とそこへの到達とは、人生においてもっとも優れた地歩に達することを意味する。そしてこの偉大なる「真実」を認識できるのは、彼らのような人々や、同じような思考をもつ人々だけになるのだ。

マナナンバルにつばを塗りたくられてから二、三日経ったが、ぼくの身体と精神に異常は見られなかった。正直に言ってしまえば、あの体験は失望するものですらあった。島の誰かから呪いをこの身に受けたり、魔力が発現されたりするのを期待していたわけではないが、ぼくが魔女や祈祷師の風格について、あらかじめ彩られた想像をしていたことは否定できない。だがぼくが目にしたのは、その正反対のものだった。それはむしろみすぼらしく、少しも畏れ多いものではなかった。老いた魔女は弱々しく、健康状態も悪そうだった。ぼくは自分がマックスに連れられて、貧しい老婆の休息を邪魔しに行ったかのように感じていた。もみ米につばを吹きつけてそれを手首にこすりつけることが、マナナンバルにとってどういう儀礼的な意味をもつのか、ぼくは知らなかった。だが、ぼくにとっては、それはたったひとつの意味しかもたなかった。つまり、もみ米につばを吹きつけてそれを手首にこすりつけること、だ。

マックス以外にも、黒魔術の島でぼくの「旅の友」になってくれる人物がもうひとりいた。彼は丸っこい身体をした、エドウィンという名前の男だった。ぼくの理解が正しければ、エドウィンはマックスの親戚だ。だがその外見からは、マックスとのつながりをこれっぽっちも見出せなかった。エドウィンは、その丸々とした身体のラインにぴったりと合ったシャツを着ることを好んでいた。まるでその服を使って、脂肪が破裂するのを防いでいるかのようだ。彼が眉毛を剃ってシャープに描き直していることも、自分が女性の心をもった男性であることを隠す気がないその身振り口振りにも、ぼくはすぐに気がついた。エドウィンは、オズの魔法使いのマンチキンたちのようにも、『チャーリーとチョコレート工場』のルンパランドの住人、ウンパルンパたちのようにも見えた。

マックスと同じように、エドウィンも相棒の小さなバイクを駆って、ぼくを島中のあちらこちらに連れていってくれた。異なるところと言えば、マックスよりもだいぶ話好きなところだろう。風に逆らってハンドルを切るその瞬間すら、彼の話がやむことはなかった。あるとき、後部座席に座ったぼくが道の両端に広がる景色をぼんやりと眺めていると、水滴を顔に感じた。だが、見上げても空は澄み渡っている。顔に触れたのは雨ではなく、エドウィンの涎だった。

ぼくはエドウィンのバイクの後ろに乗って、シキホール島のさまざまな地理を

雨上がりに学校から帰宅する、地元の子どもたち

見て回った。山に登り、緑濃い田畑を眺め、マングローブ林を抜けて、いくつかの地域の教会と学校を通り過ぎ、地元の画家の家を訪れて、道端の店で食事をとった。ぼくがシキホールのことを知ったのは、エドウィンのおかげと言ってもいいかもしれない。ぼくひとりでは知りあいようもない、地元の人々を紹介してくれもした。そういったことは、マックスの得意としないことのようだった。もしシキホール島の誰かを国際親善大使に選ぶとしたら、ぼくは確実にエドウィンに投票するだろう。彼が自分の故郷について語ってくれたことを聞いて、ぼくは「黒魔術の島」という言葉も、シキホールの闇に関するさまざまな伝承もほとんど忘れてしまいそうになった。そして、ここが楽園の島、他の場所とは比べものにならない、自然を愛する人々のためのユートピアに見えてきた。

そして、実際にシキホールはその通りでもあったのだ。人々の暮らすコミュニティは美しく、魅力に満ちていて、ぼくがこれまで訪れた島の中でももっとも住みやすいところのひとつだった。シキホールにはすべてがある。澄んだ水と砂浜、緑の山と深い森、天然の滝、質素な田舎の暮らし。そして、ドゥマゲティから

シキホールで頻繁に目にした道中の風景

シキホールで頻繁に目にした道中の風景

フェリーで一時間もかからない距離に位置しているおかげで、食料が不足することもなく、いつでも好きなときに現代的なテクノロジーを買ってくることができる。この島を訪れて、不可思議にも姿を消したと噂されている人々は、意図的に「蒸発」した上でこの地に根を張って、喜ばしいこの雰囲気に埋没していったのかもしれない。ぼくはそう考えはじめていた。「黒魔術の島」にまつわる恐るべき言い伝えや、悪魔として描かれるあらゆる魔女や魔術師の姿ですら、観光業者の手と、その貪欲さから島を守るための策略だったのかもしれない。

産業社会とテクノロジーのシステムから逃げ出して孤立するにはぴったりの、楽園の島。

ぼくがマックスに連れられて魔女に会い、もみ米を塗りたくられたぼくの手首がしばらく痒さを感じたあと、エドウィンのほうも、機会を見つけてぼくをべつの「魔術師」の家に連れていってくれた。その人物は、この島でもっとも重要だとされる魔術師の子孫だった。

シキホール島の「伝統医」文化に迫りくる大きな問題は、あらゆる場所に存在する古くからの伝統が直面しなければならない問題と変わりないようだった。つまり、職業の断絶、あるいは消滅だ。マナナンバルの子孫で、故老たちからこれらの知やその実践的慣習を受け継ごうと望む者はとても少ないと、エドウィンが教えてくれた。それゆえ島の魔女や魔術師は、海沿いの墓地の土の下に横たわるそのときが近づいている老人ばかりになってしまっていた。

エドウィンに連れられてぼくが会った青年は、自らの意思で父親からマナナンバルの地位を継承した、数少ない「新世代」のひとりだった。ぼくはエドウィンに、もみ米とつばの混ざったものを身体のどこかに塗りたくられるようなことは、もうごめんだと告げた。エドウィンは、そのような儀式はないと言い切った。この「魔術師」は、ハーブを得意とするマナナンバルだった。植物の根、花、葉、その他自然由来のものを集め、調合し、聖水を作り出すのだ。触れたり呪文を唱えたりして病を治療するタイプのマナナンバルではなかった。

もちろん、魔術師に会いに行くエドウィンとの約束は、マックス同様「シキホール時間」にもとづいてなされた。待ち構えてはならないということを理解していたぼくは、コテージの前にあるビーチで、海に潜ってウニを獲っている人のテクニックを学びながら、自分のシキホール時間を有効に使っていた。

スピノザにとって「自然」（万物）と「神」（万物を生じさせるもの）は同一であり、それゆえ自然と人間を分離して互いにとっての「他者」とするような考えは、完全に非合理で不可能なものになる。だが、自然を愛する超越主義者やロマンティストたちは、そうした非合理で不可能なものを好む。スピノザ的な意味における「万物」という言葉は、すべてを包含している。そしてこのすべてという言葉は、余すところも、例外もなく、すべてなのだ。テッド・カジンスキーのような人間が奮闘した社会への抵抗、産業とテクノロジーのシステムへの敵対は、完全な論理的破綻をきたすことになる。

自然に帰っていくこと、自然に近づくこと、あるいは人類の汚濁を浄化してくれる純粋な場所として自然を掲げることは、たとえ本人に自覚があろうがなかろうが、人間の本性としての自然から、人間を断ち切る思考だ。つまりそれは、人間は自然の一部ではないし、自然は人間の一部ではないということの提示となる。つきつめれば、人間とははじめから自然の領域にとらわれていない生き物だ、ということを意味してしまう。

もし人間が自然の産物、あるいは自然の一部であるとするならば、人間のどんな特質もまた自然でなければならないということになる。そこには、人間のあらゆる発展や生活様式も含まれる。極度の自然愛好家や社会抵抗者たちがひどく憎み嫌う、産業とテクノロジーのシステムの発展も当然、自然の一部となる。人間にはきっと「自然に戻っていく」ことも、「自然に近づく」こともできない。なぜなら人間は自然の中にあって、常に完全な形で自然として「ある」からだ。

この視点で考えると、自然愛好家にとっての「自然」という言葉は、「場所／空間」あるいは「環境」と等価であるというだけの皮相な意味しかもたないことになる。それは、観光客やアウトドア好きの使う「自然」と変わりがない。テッド・カジンスキーは、産業とテクノロジーのシステムを破壊することで人は必然的に農業に従事し、家畜を育て、あるいは漁師になると述べている。彼は、自然

淑人さんと学校を訪ねる

を、過去のある時代に、この惑星に住む人間という動物が生活と繁殖のための原料として生き物を用いていたのと同様にしか見ていない。さらに、生きる上で適切かつ純粋とも言える環境的なタイミング（つまり、産業とテクノロジーのシステムがなくなるタイミング）が存在するとも考えていた。テッド・カジンスキーは、スピノザが見ていたような大きなイメージで自然を見てはいなかった。

もし人間が本当に自然から分離されうるなら、そこには避けられない大きな疑問が現れる。それは、人間とはなにか、というものだ――とても想像の及ばないほど広大な宇宙空間に存在する小さな惑星に住む、とある小さな生き物。その小さな生き物が、自然を超越すること、あるいは自然から自由になることなどどうしてできようか。「神」が、宇宙に存在する他のあらゆるものよりも特別なものとして人間を創造したからこそそれが可能だとでも言うのだろうか（そう信じる人々が多くいるのはたしかだ）。それとも人間が他のものとは異なる進化を経たことで、自らを生み出した自然から解放されて、完全な独立を果たしたからとでも言うのだろうか。

ほんの少しの合理的な思考を用いれば、以上のどの観点も、奇妙な論理を導いてしまうことがわかる。人間が特別であることを示すただひとつのもの、それは同じ人間だ。人間と自然の差異を示すどんな証拠も符号も存在しない。人間が自然を超越していると信じさせてくれるものなど、なおさらありえない。地球上に暮らす他の生き物と異なる行動をとるからといって、人間が世界の一部である状態から自由であるという特質をもっているわけではない。たとえぼくたちが、自らの生まれた星から宇宙の異なる場所に旅することができるたった一種の生き物であったとしても、それは、人間がそういう行為ができる生き物であり、人間と呼ばれるものの特質と能力のひとつである、という以上の意味をもたない。それを超えた結論を出すいわれはないだろう。

人間が多くの問題を抱えている（少なくともぼくたちはそう「感じて」いる）ことは、おそらく事実だろう。また、人間の作り出した産業とテクノロジーのシステムが、場所と環境という意味における自然を継続的に「破壊」してきた側面があるということについて、否定する理由をこじつける必要もないだろう。だがそれらすべてをもとにしても、人間が自然から自由になっていると考えることはできないはずだ。スピノザのような見方をすれば、人間の生み出すイノベーションやその行動ですら、すべて自然の一部となる。工場も自然、デパートも自然だ。池畔の小屋で孤立した暮らしを送ることと、デパートの最上階にあるシネマコンプレックスで映画を見ることは、どちらも等しく「自然に近づく」あるいは「自然とともにある」状態にある。だが実際のところ、これらのフレーズはなんの意味ももたないのだ。すでにそれ自身であるものが、「自らに近づく」あるいは「自らとともにある」ことはできないだろう。「自分でないこと」など、おそらくはじめからありえないのだから。

ラヴ・アンド・ロケッツの No New Tale To Tell に、再び戻る。

君は自然に逆らうことはできない
君が自然に逆らってしまえば
それも自然の一部になってしまうからだ

若いマナナンバル

「魔術師」の家は、魔女のトタン小屋よりも何倍も立派に見えた。一階建てのかなり広い家で、目の前の広場は、ハーブを干すのに使われていた。ぼくたちは乾いた木の根や何種類もある木の葉の横を通り過ぎ、扉のところで小さな自分の子どもと一緒にぼくたちを迎えてくれている、この家のもちぬしに近づいていった。

ハーブを得意とするマナナンバルの子孫は、まだ若々しかった。背は低いががっしりとした体つきで、立ち居ふるまいは魔術師というよりもボクサーに近く、古びたTシャツとショートパンツを身につけていた。無表情だったが、親しみやすくもあった。彼はぼくに、呪薬やさまざまな力をもった呪符を置いてあるスペースを見せてくれた。その多くは、さまざまな乾燥ハーブを切り刻んで混ぜあわせ、プラスチックやガラスでできたジャー、ガラス瓶、試験管などに入れたものだった。一部の容器には、なんらかの油か聖水のようなものが混ぜられていた。呪符のほうは、ネックレスや動物の骨、乾燥した種などだった。正直なところ、そこは、ままごと遊びの想像力を使って子どもが並べた、おみせやさんのように見えた。

　シキホールにおける魔術師の役割は、コミュニティにおいて宗教的儀礼に従事する人々に近いものだ。そこには住人のための「口寄せ」となって、霊魂や森の精と交信することや、人々を助け、季節に合わせてさまざまなものを産み落としてくれる霊的な力と接続することまで含まれる。毎年、島全体の大きなものから、村レベルの小さなものまで、マナナンバルの「イベント」シーズンがあることを、この若い魔術師が教えてくれた。彼の祖父と父は著名なマナナンバルで、「神聖な時期」における大きな祭りをいくつも請け負っていた。彼らは、儀式を執りおこなう僧侶やバラモンのようなものだ。たくさんの呪物を用意し、それを用いて呪術のプロセスを進めていく。

　先代からマナナンバルを引き継ぐにあたって、魔術師の青年はさまざまな植物について詳細に学び、それぞれの植物の生息地や季節についての情報を研究し、「自然」から得たハーブを聖なる力をもったものに変えるための方術や呪文を理解しなければならなかった。それは非常に疲れる作業なのだと、彼は言った。森に入って植物を採取しなければならないし、最近ではいくつかのハーブがどんどん見つけにくくなっているそうだ。まったく採れなくなってしまったものもある。以前の彼は、マナナンバルの地位を継ぎたいとは考えていなかった。だが結局、忍び寄る現代社会とともにシキホールの重要な文化が消滅するのを防ぐために、マナナンバルになった。

ぼくは、魔術師の家の一角に、ハーブや呪符だけでなく、大小の木の人形が雑多に置かれていることに気がついた。人形のもちぬしが恨みをもった相手を傷つけたり、不幸を与えたりするための呪いをかける「ブードゥー人形」のようにも見える。

それは「ハプリット」(haplit)と呼ばれ、ぼくが考えた通り、人を呪う儀式のために使う人形だった。そしてこれこそ、シキホールに暗黒の名声を与えている「黒魔術」の儀式で用いる道具なのだった。魔術師の語るところによれば、それらの儀式は、マナナンバルが無闇におこなうものではないそうだ。倫理観に照らした上で、納得のいく理由があるときか、本当に必要なときにだけおこなわれる。

一部の魔術師や魔女には、敵を攻撃したいと望む住民に雇われて、密かにこの儀式をおこなう者もいるそうだ。

ぼくは彼に、そういった儀式を執りおこなったことがあるか尋ねた。魔術師は答えずに、含みのある微笑みを見せた。ぼくはそれ以上詮索しなかった。ハプリット人形の一部は頭が丸く禿げ上がっていて、「タイランド」からやってきたこの見知らぬ男の代わりとして使うにはうってつけに思われたからだ。

そこを辞する前に、この若い魔術師からなにかを買って帰るべきだと、エドウィンが耳打ちしてきた。それは、ぼくたちと話すために、彼のシキホール時間を一時間も差し出してくれた彼への礼と配慮だった。これら多数の聖なる呪物や、瓶やジャーに詰められたハーブが売り物だとは考えてもみなかった。神秘的とも神聖とも呼ばれるものを、誰もが簡単に所有できてしまうのは、危険なことにも思えた。だが結局は、本当におみせやさんだったということなのだろう。

ぼくは若い魔術師に、もち帰って使ったほうがいい品を薦めてもらうことにした。彼は小指よりも小さなガラス管を取り出した。中には、濃い茶色の液体と、

マナナンバルが集めた、乾燥した樹皮、木の葉、その他のハーブ
そしていくつかの開運お守り

なにかのハーブが詰められていた。

「唇に薄く塗るんだよ」。魔術師が言った。「すると、君の求めている女性が向こうからやってくる」。

それは惚れ薬だった。その黒っぽい液体を唇に塗りたくることで、本当にこちらの望む女性をシキホールまで引き寄せてくれるのだろうか。心の底では、その答えが聞きたくてしかたがなかった。だが、ぼくはそれを記念に買っておくだけにした。自分の唇の調子のほうが心配だったからだ。

スピノザの哲学と汎神論は、たしかにとても近似している。だが重要な点で異なってもいる。汎神論では、万物の統一性を「神聖」なものとして扱う。だがスピノザの思想において、「神聖」という語は意味をもたない。あらゆるものは、それ自身があるがままに存在するからだ。なにかを高く掲げて、なんらかの地位を与えてしまうことは、そこに異なるもの、あるいは正反対のものが存在することを意味してしまう。もし「神聖」なものが存在するのであれば、それは、神聖ではないものが存在するということを意味してしまうのだ。あらゆるものが同一であるなら、そこに「ある」ということ以外の状態に分離することはできないだろう。

言い換えれば、汎神論は宗教としての性質をもつということだ。他方、スピノザの哲学は、「崇拝」あるいは「信仰」の必要性を完全に切り捨てている。あらゆるものが、それ自身のあり方にのっとって存在している。それをわざわざ崇拝したり、信仰を示したりするのは、奇妙なことになる。誰かがそれを崇拝したり、信仰したりしたいと望むこととは関係ない。

研究の旅に向かう前のぼくは、汎神論のもつ宗教性には利点があり、ぼくたちの直面している環境危機の時代に資するものがあると考えていた。人々が、「自然」をひとつの神聖なものであるとみなせば、自然に対して悪影響を及ぼす活動を起こす前に少なくともよく考えるようになるだろうという理由からだ。そういった活動は、長期的に見れば人間自身にも悪影響を与えることになる。科学的成果や、さまざまなデータと数字を引用してなにかを禁じたり、人々が「環境保

浜沿いでウニを獲る地元の人

コテージの前、引き潮

護」をするように導いたりするのは難しいのかもしれない。「自然の身体」を傷つけることは、すなわち神聖なるものを傷つけることであり、自分自身の身体を傷つけることなのだと説明するほうが、効果的だろう。

もし神聖な自然に対する「信心」や信仰によって自然空間と生態系をもっと長く保護することができるなら、シキホールの魔女や祈祷師、そしてフィリピンの大小の島々をめぐる旅路でぼくが出会う少数民族の子孫たちは、科学者や環境活動家たちよりも、環境を保護する役目をきちんと果たすことができるだろう——「自然を超越したもの」が実際にあると必ずしも信じていたわけではないが、そう信じることで、ぼくたちの予想が及ばない形で、その信心が世界と社会に好影響を与えるだろうとぼくは考えていた。数多くのアニミズム的知から学ぶことは、現代社会にとって損になるよりも、得になるほうが大きいだろうと。

要するに、ぼくはソロー的な、超越主義者的な、ロマンティックな思想が、人間にとってよい道筋であるということを証明しようという意図をもって旅に出たのだった。たとえ「事実」がどんなものであったとしても。テッド・カジンスキーほど極端な望みをもったことはない。だが「自然に近づく」生き方に戻っていこうとする道筋というものを、かつてはぼくも思い描いていたことは言っておかなければならない。その意味では、自然を愛するテロリストの同類としてぼくを分類することは、間違っていないとも言えた。

けれども、孤立して暮らせば暮らすほど、シキホール時間とそのタイミングに合わせて「自然」を眺めれば眺めるほど、マックスとエドウィンのバイクの後ろに座って、楽園の島を回れば回るほど、スピノザの思想について思索を深めれば深めるほど、日を追えば追うほど、ぼくはますます、強く揺さぶられるようになっていった。

ソロー的な、超越主義者的な、テッド・カジンスキー的な、あるいは汎神論的な自然への愛や耽溺の中にあるなにかがぼくの思考をざわめかせていて、そのざわめきを拒絶することはできそうになかった。

そのなにかは、水平線に沈む太陽を見つめるぼくの毎夕に生まれる感情と変わりないように思えた。

美。そして思考のまやかし。

まさしくスピノザには「生」の哲学がある。文字どおりそれはこの私たちを生から切り離すいっさいのものを、私たちの意識の制約や錯覚と結びついて生に敵対するいっさいの超越的価値を告発しているからである。

——ジル・ドゥルーズ
『スピノザ　実践の哲学』［☆1］

私がかつてお目にかかったいかなる《新しい》生も、根の腐った夢まぼろしでなかったものはない。私が見たのは、誰もが時間の中を歩みながら結局ひとりぼっちになって己が苦悩を反芻し、生を新たにするというより、不意にしかめっ面する己れ自身の希望を抱いて、自分の内部に転落する姿だけだったのである。

——E・M・シオラン
「《新しい生活》の滑稽さ」、『崩壊概論』［☆2］

3

まやかし

淑人さんは心の底からテニスを愛していた。それがヴィラ・マーマリンの入り口近くにテニスコートを作った理由だった。彼はぼくをテニスにたびたび誘ってくれた。だがスポーツのセンスに乏しいぼくは、いつも丁寧にお断りしていた。散歩から戻り、コートの横を通ると、彼が地元の人とラリーを続けているのを見る日もあった（ときには、マックスも彼の練習相手になっていた）。ぼくは応援のつもりで立ち止まってそちらを見て、しばらくボール拾いをした。それから浜辺の小さなコテージに戻り、黄昏までを孤立して過ごすのだった。

出会った当初、自らの国を離れ、小さな島に移住した淑人さんの決断を理解しきれずにいた。理由のひとつは、それがぼく自身もかつて夢見たことのある生き方であり、他人がそれを実行に移し、成功させるに至った原動力を知りたかったからだった。

淑人さんは若くはなかった。おそらく六〇歳を超えていた。ヴィラ・マーマリンの経営をはじめたのが二〇〇五年なので、定年後に新しい人生をはじめたことになる。楽園のビーチでのビジネスではあるが、彼は島のコミュニティの一部になろうとする熱意をもっていた。それを見るに、彼が生き方を変えた主な目的は、老後を気楽に過ごし、社会の喧騒から離れることではなかったはずだと思われた。

ぼくの知っている限り、淑人さんとマリエさん夫妻は、シキホールに永住を決めた唯一の日本人だった。彼は地元の人々に広く知られていた。それは、ヴィラ・マーマリンのオーナーであるからではなく、移住した直後から続けてきた慈

☆1　ジル・ドゥルーズ『スピノザ　実践の哲学』、鈴木雅大訳、平凡社ライブラリー、二〇〇二年、四九頁。
☆2『崩壊概論　E・M・シオラン選集1』、有田忠郎訳、国文社、一九七五年、一二〇頁。

善活動によるものだった。彼は普段から、島のさまざまな村にある学校を訪れては寄付をおこない、生徒たちと言葉を交わし、ワークショップを実施していた。子どもたちと音楽を楽しみ、運動し、一緒になって踊るのだ。

一度、彼が子どもたちに会いに行くのに誘ってもらったことがある。きっとぼくがシキホール時間を無為に過ごしている日があることに気づいたのだろう。ぼくはそれに応じた。用事があるからとその誘いを辞したところで、あまり信憑性はなかっただろうし。

実のところ、淑人さんがぼくに声をかけてくれたことは嬉しくもあった。魔女と魔術師に会い、島のいろいろな場所を目にして、小さなバイクの後ろに乗ることにも慣れて、もはや尻にも痛みを感じないほどだった。ぼくは、シキホールの「闇」に関する言い伝えが、無責任な外部の人間や街の人間による空想と、おもしろおかしいうわさ話が混ざったものにすぎないことに気づきはじめていた。だからぼくは残りの時間を、魔女や祈祷師と会おうとしたり、実体のない怪しげな話の調査に使ったりするよりも、ここの人々のふつうの暮らしを知ることに使うべきだと感じていた。

シキホール島中の学校を訪ねたその日は長い一日になった。ジープに乗ったぼくたちが出発したのは早朝だった。一部の学校は高い山の上にあり、そこまでの道はでこぼこで長かった。自分が黒魔術の島にいるということを忘れてしまう瞬間さえあった。そのときのぼくの気持ちは、悪人を追跡しているようでも、自分がなにかの部隊から逃げているようでもあった。ぼくのような新人には、自分たちが駆けている道の先になにがあるのか予測もつかなかった。だからずっと、興奮と戸惑いの綱引きが続いていた。しかし、ともに旅している淑人さんと二人の地元の男性にとっては、幾度となく通ってきた道であるようだった。彼らは所要時間も距離も正確に把握しており、持参した食べものと水の量も、ちょうどよく見積もられていた。

ぼくたちの訪れたすべての学校は同じような見た目をしており、大きさと生徒数だけが異なっていた。学校は大部分がコンクリート製で、一階建てだった。造りは簡素で、飴玉のようなパステルカラーに塗られ、装飾は施されていなかった。

けれども、教室の中には派手な掲示物やポスターが飾られていることが多く、可愛らしい絵や発泡スチロールの文字が、それを彩っていた。

ぼくが勝手にそう思っただけかもしれないが、数多くの生徒が淑人さんを知っていて、彼に親しんでいるようだった。ぼくたちが到着すると、教師たちが全校生徒を校庭に整列させる。揃ったところで、みんなが声を合わせて淑人さんに挨拶をする。それから最初の活動がはじまる。リズミカルな音楽や簡単な楽器演奏に合わせて、淑人さんを中心に、エクササイズとノージャンルのダンスを混ぜたようなさまざまな動きを続けていく。全員が楽しそうに笑っている。特に淑人さんが。彼の顔に浮かぶ笑みは、ヴィラ・マーマリンで客を迎えたり、テニスをしたりしているときにぼくが見た笑みとは違う種類のものだった。これこそが、シキホール島での彼の生活に意味をもたせているものなのだろうと、ぼくは思った。子どもたちとの活動が終わると、淑人さんと教師たちは、それぞれの学校に対してこれまで彼が支援してきたものの進捗度合いを見て回る。ある学校ではトイレを作るための寄付をおこなったし、あるところでは建物の整備を、他のところで

淑人さんと訪れたシキホール島の小学校にて
カメラに向かってポーズをとる子どもたち

は運動場の建設を援助していた。

どうして子どもを助けるためにわざわざ遠くシキホールまで来なければならなかったのか、淑人さんに尋ねた。彼は、日本の子どもたちには選択肢も機会も用意されている、と言った。彼と妻はこの島に根を下ろし、リゾートをはじめた。そういう立場の人間としてコミュニティを支援することで、地元の人々に恩返しがしたい、と。

淑人さんが自分を「自然を愛する」人間とみなしているのかどうか、ぼくは知らない。シキホールのように、楽園のごとき魅力をもつ黒魔術の島に移住して仕事をする理由が、その美しさと、発展からかなり距離を隔てていることだけであるはずはないだろう。たしかなのは、淑人さんのような人は、孤立して「自然とともに過ごす」ためにここに来たのではないということだ。彼はリゾートを開き、観光客を受け入れ、地元の人とテニスをし、島の学校のための社会福祉に携わっている――彼は生活を送りにやって来たのだ。

ぼくが淑人さんに、魔女と祈祷師、神聖な儀式に関する調査のためにシキホールへ来たことを伝えたとき、彼は驚きも、訝しむそぶりも見せなかった。考えすぎかもしれないが、彼の目には「またこの手のが来たか」という感情や、それに近いものが映し出されていたように見えた。観光客がシキホールについてもつ認識は、タイに行けば象が道をうろうろしていると考える外国人の期待とそんなに変わらないだろう。たしかに象はいる。だが、象は一般的な地元の人々の日常にも、その興味の中にも、まったく存在していないのだ。シキホールの神聖な儀式、魔女、祈祷師と同じように。島の人の多くはそういったものに年に何度も出会わないし、それらは彼らの日々の暮らしとほとんどまったく関係がない。

みんながそれぞれの生活を送っている。魔女も、祈祷師も。

環境が懸念すべき状況にあるという憂慮は何十年も前から存在していて、人類同胞への警告がなされてきた。「地球温暖化」についての情報が拡散されて、「地球愛護」の運動が現在のように世界的な潮流になるずっと前からのことだ。「自然を愛する」人々は、産業革命の最初期から、人間によるテクノロジーの発展が

「自然」に対する脅威になると考えていた。自然資源の体系だった保護は一九世紀にはじまるが、その思想は「地球愛護」のキャンペーンとあまり変わりがなかった。それはつまり、近代社会が自然資源を破壊しているのだから、環境を保護するための空間を整えて、人類の未来のために生態系の均衡を管理するべきだ、というものだった。

汚染水、切り拓かれた森、工場の煙突や排気口から吹き出す黒煙。これらのイメージによって、人間の行為が「清潔」なものでも、環境にとって無害なものでもないということが容易に伝わるだろう。だがそれらにもまして、「地球温暖化」の危機は、かつてなかったほどの大きなレベルで重要かつ危急の環境問題へと変化しているようだ。

著名人や主要なメディアによる運動といったはっきりした要因以外にも、「地球愛護」の運動が特に「先進国」や、(先進国に典型的なもろもろを表面的にもつことで) 自身を先進国だとみなす国々で拡大した理由として、ぼくが考えるものがある。それはこの問題が、ロマンティックな思想に取りこまれながらも、それに対して無自覚な中産階級的価値観にちょうど適した社会的論点だったから、というものではないか。その一方で、貧困問題、不平等、不正義、経済的・政治的論点は、中産階級の行動の枠組みから押しのけられ、遠ざけられていく。あるいは、日々の安心安全と楽しみを守ってくれる泡のような役割を果たす、日常の活動によって押し隠される。だが「地球愛護」の論点は、中産階級の作法の中に巧妙に紛れこませられ、応用される。エコバッグがほとんど一夜にして過剰なほどの価値をもつ（そして、それがビニール袋や環境に「フレンドリー」ではない物質の使用を効果的に減らすのかどうかという検討はなされない）。「地球愛護」という言葉が、組織や商品の利益や、そのイメージの向上のために用いられる。莫大な予算が、環境問題を引き合いに承認される。温暖化についてくりかえし議論するために、数え切れないほどの会議やセミナーが開催される。

これは食い扶持を稼ぐことにも、イメージを作り上げることにも、うまく役立つ危機だ。中産階級的なシステムの働きや彼らの生活に、影響を与えることもない。むしろその逆で、新しい娯楽やクリエイティヴでイカした製品を、消費主義的行動のために楽しげに増やしてくれる。中産階級の多くが、資本主義を批判し、資本主義に反対していると主張する。しかし、資本主義にほんとうに影響を与えそうな問題に対して興味関心を払うことは、最小限にとどめがちだ。エコバッグに見られるような、環境保護の表面的な努力。それは単に「わたしたちはなんの努力も払わずに、地球環境を保護し、エコ・フレンドリーにふるまっています」と宣言しているにすぎない。

重要なのはこれが、中産階級の人々にとって、自分の理想を傷つけられるという危険を冒すことなく、その運動に「協力」することができて、いい気分になれる問題だということだ。「自然を愛する」ことや「地球愛護」の欲求に対して疑念を投げかける人はいない――ゴミをゴミ箱に捨てるキャンペーン中に、清潔さを愛する気持ちにケチをつける人間はいないだろう。

だが、社会における他の多くの問題と同様に、温暖化の危機について、十分な知識をもち、本質を深く理解している人間は数少ない。解決の道筋を認識し、その解決に真剣に取りくんでいる人間はさらに少ない。

たとえば、地球温暖化によって危機的な状況の変化を被った「自然」が、人間の生活と生存に強烈な影響を与えるとしよう。それは人間の視点からすれば、疑いなく大きな問題になるだろう。だが研究者は、ぼくたち全員がただエコバッグを使ったり、ベジタリアン向けの料理を食べたりするだけでは済まない、もはや簡単にあともどりできないところまで来てしまっていることを認めている。根本的に問題を解決するためには、大きな犠牲が必要になる。燃料を使うあらゆる乗り物を使用しない。電気の使用をやめる。産業システムによって生まれるあらゆるタイプの製品を製造しない。動物の肉を消費しない――要するに、テッド・カジンスキー的な行動指針にのっとって生活をしなければならない。しっかり検討して脳を疲弊させるまでもなく、それが不可能なことがわかるだろう。

ジェームズ・ラヴロックは、地球と地球上の「自然」に対するロマンティックな見方を、神聖なものから科学的なものへと変化させたもっとも初期の環境主義者だ。一九六〇年代初頭にＮＡＳＡで働いた経験の中で感化されて、地球を一種の「生物」として定義する思想を発展させていった。彼は地球を「ガイア」

（Gaia）と呼んだ。その名前は、地球をその身体としてもつ、ギリシア神話の女神に由来している（この名前は、イギリスの著名な作家ウィリアム・ゴールディングの助言を受けてつけられたものだ）。

ラヴロックが、地球に対するロマンティックな見方を、神聖なものから科学的なものへと変えたというのはつまり、彼が地球と環境に対して「実在」を与えたということだ（そして、地球を呼ぶ代名詞として「彼女」を用いたり、「地球」という名前の代わりに「ガイア」という名前を用いたりしている）。そして、彼はガイアに対する人間のふるまいを、生物と物質の関係ではなく、生物同士の関係として語った。つまり、地球に対して（地球上の「自然」のホリスティックな総体としての）アイデンティティと「原動力」を与えたのだ。さながら、ロマンティックな思想をもつ人々が、自然に対して神聖性を付与したように。だが、ラヴロックのガイアは神秘の存在ではなく、科学的に検証可能なシステムだった。人間とガイアの相互関係は特別なものだ。だがそれは、唯心論的な特別さや、抽象性とは異なる。神聖なるものや神との相互関係における、「自然からの超越」もそこには存在しない。ガイアは実体をもち、ぼくたちは誰もが彼女の体内に暮らしている。

ラヴロックのガイア理論を、自然保護主義者やロマンティックな人々の思想と区別している、基本的で重要な論点がある。それは、環境を破壊する人間の活動は、ガイアに対して懸念すべき影響を与えないと彼が考えていたことだ。彼は著書『ガイア』（一九七九年）で、たとえ地球が人間によって生み出される公害・汚染に直面するとしても、それらもまたガイアというシステムがもつメカニズムのひとつであると主張し、議論と批判を巻き起こした。

今日、人間の工業活動が地球という〈巣〉を汚しており、年々不吉な様相を呈してゆく惑星の全生命を脅かしていることは、一般に認められるところである。けれども、私はここでこの型どおりの考え方と袂《たもと》を分かとうと思う。ひどいあせものような人間のテクノロジーが、結局人類自身にとって破壊的だったということになる可能性はあるが、現在および近い将来における工業活動のレベルで、全体としてのガイアの生命が危うくなるという根拠は非常

に薄いのだ。〔☆3〕
あるいはアメリカのコメディアン、ジョージ・カーリンが言ったようにも言えるかもしれない。「地球は問題ないさ、人間のほうが終わってるんだ！」。
ラヴロックは、ガイアは自己の均衡を調節できるシステムであると考えていた。たとえ病気になっても、自らを癒やすことができるのだ。これは一般的な環境主義者がおこなう「地球愛護」の取りくみ、つまり、人間はとりかえしのつかないほどに地球を破壊している、という認識をもたせようと社会に圧力をかける努力とは対立する考え方だった。
西洋の自然保護主義者と環境主義者の一部は、自ら「緑の人」（Green）と名乗り、ラヴロックもまた自らを緑の人であるとみなしていた。だが彼は、多くの緑の人がおこなう「狂信的な」レベルの「地球愛護」運動を、宗教と変わりがないと批判していた。社会に向けて、地球を傷つけているという「罪の意識」をもつべきであると力説すること――そしてそれゆえ「取り戻す」必要があると考えること――それは、地球と自然についての誤った理解を生み出しており、実直な分析・検討というよりは、運動家自身の思想に肩入れした運動であると。

ガイア理論を提唱して以降のラヴロックは、新しい統計や研究に合わせて、環境危機に関する自らの意見をたびたび変えた。人類の行為が、ガイアに壊滅的なダメージを与えていると認める時期もあり、彼はこの問題に対して常にセンセーショナルな解決策を提示してきた。大部分の環境主義者が一貫して原子力に反対の大声を上げていた一方で、ラヴロックは、原子力こそ温暖化の速度を緩める唯一の手段であり、化石燃料に対する効率的な代替燃料で、人類にとって他のエネルギー源よりも合理的であると述べていた。

環境問題に対する思想がどのように変化しようとも、彼がガイア理論を捨てることはなかった。二〇〇七年(ラヴロックが八八歳のときだ)のインタビューで、

☆3 原題は *Gaia: A new look at life on Earth*。訳は以下より引用。J・E・ラヴロック『地球生命圏 ガイアの科学』、星川淳訳、工作舎、一九八四年、一九五頁。

彼は、悪化の一途をたどるように見える環境危機のただなかで、人類にまだ希望は残されているかという質問を受けた。ラヴロック自身が、それはもはや「戻れないところまで来てしまった」と述べていたからだ。彼はこう答えた。

わたしたちはこの状況に順応しなければいけない。それが、人間が取りくまなくてはならないことだ。そしてなによりも心にとどめておくべきことは、文明を保全しようと努めねばならないということだ。それこそ、わたしたちのもつ、もっとも価値ある財産であり、わたしたちが地球に対して大きな恵みを与えられるものなのだ。わたしたちは、自分たち自身が地球にとってはなんらかの伝染病であり、また破壊的存在であると考えがちだ。たしかにそうだ。けれども同時に、わたしたちはとても素晴らしいものでもある。三〇億年の進化を経て、地球上に、地球の一部として、知恵とコミュニケーション手段をもったなにものかが現れたのだ。わたしたちが地球の一部であるからこそわたしたちは自然な存在であり、自分を地球から切り離して考えるべきではない。そして地球は、わたしたちが宇宙から見つめる目を通して、彼女がどれだけ美しい惑星であるかをはじめて知った。これだけで価値のあることだ。とても価値がある。[☆4]

人間が地球の一部であり、地球とともに進化をしてきたととらえる思考（ラヴロックは、人間を地球の「脳」と「目」にたとえており、それにより地球は自らを目にし、自らについて考えることができる）の中で、ラヴロックは、スピノザ的な思想を、地球規模にまで縮小させた。人間を含めた地球上のあらゆるものは、それ自体が地球という自然の一部なのだ。つまり、それ自身の中にいる生物でもある。

いずれにせよ、人間という進化が地球に脳を与え、それによって地球が自らを「美しい」ものであると考えるようになったという主張は、ラヴロックのガイア

☆4 "Gaia Hypothesis – James Lovelock" URL= https://www.youtube.com/watch?v=GIFR g2skuDI

理論を、科学の領域を超えたロマンティックなもののほうへ、気づかないうちに戻してしまっている。たとえ「神聖なるもの」についてては述べていないにしろ、「美しい」という言葉がもつ意味は、地球と呼ばれる「自然」あるいは「生物」に対して、なんらかの価値を付加している。ぼくたちの知る限り、美は人間の主観的な問題であるからだ。人間が美しいとみなすものが、人間のいない自然の中でも美しいのか、ぼくたちには判断できないだろう。地球上の自然に絞って話を進めるにしても、人間は唯一の生物ではないからだ。人間の「美」に対する感情が、ガイアの実在になんらかの影響を与えていると証明してくれる証拠は存在しない。もし、美しさは自然の中に存在する概念だということをラヴロックが意味していたのであれば、それは彼のガイア理論に、唯心論がひそかに混在していることを意味する。唯心論者や神を信じる人々にとっても、美しさは神聖なるものとしての意味をもっている。それは「自然を超越した」ところにあるものであり、神の「心」の中にあるものだからだ。

「美―醜」、「善―悪」、あるいはその他の人間の感覚や感情が、他の生物の中や、人間を「超越」したところに存在するのかどうか判明しない段階でぼくたちに言えるのは、それらの感覚や感情が「人間にとっての自然」にすぎず、その他のものにとって自然とは言えない、ということだけだろう。ラヴロックが信じるように、人間が地球やガイアの一部であるとしても、それは、ガイアの実在が人間と同様の行動システムをもっていることを証明してはくれない。それゆえ、それ自体の美しさを地球に見させているから人間と文明には価値があると述べても、それはガイアからの視点ではなく、単に人間の視点からの結論だということにしかならない。

結局のところ、ラヴロックが地球温暖化に対して抱く懸念は、ガイアの身体的な状態よりも、人類の存亡に対しての懸念なのだ。彼は「熱力学の第二法則、あらゆるものは力を失い、老い、そして死ぬ」ということを信じていた。それゆえ彼は、いずれガイアの命も絶え果てるし、それはおそらく人間の手によるものではないと信じていた（ラヴロックは、おそらく太陽からの影響を受けてのことだろうと考えていた）。だから、地球温暖化についての懸案事項は、人間に関することがらであり、人間によって、人間のために解決策が求められなければならない――「地球愛護」ではなく、「人間愛護」のための活動。

ぼくが調査をはじめてシキホールへ旅をしたのは、汎神論の思想が、現代の環境危機に対しても応用できるかもしれないという考えにもとづいてのことだった。人間が自身を「自然」(ここではすなわち「地球上の環境」)の一部であるとみなし、環境を破壊することは自分自身の身体を傷つけることであると思うように後押しすること。だが日を追うごとに、ぼくにはそれが誤った考えであり、真摯な思索に拠らない、出来合いの思考的枠組みであるように感じられてきた。汎神論やロマンティックな思想が、神聖性や精神的な側面をもたない自然に関する視座に変わることなど、不可能なのだ。もしそれが可能であるとぼくが強弁するのであれば、ぼくの結論は、ガイアは人間の目を通して見ているから美しいとラヴロックが言ったことと変わらなくなってしまう。それはつまり、ぼくが「自然」に対して「特別さ」を付与しなければならないということだ。ぼくたちが知ったり見たりしているものや、科学的な観察や実験を超えた特別さを。それはすなわち、人間の主観にのっとって、自然はこうだ、こうあるべきだと決めつけることだ。

中産階級およびそれ以上の階級の社会において、衣食に事欠かない人々がその便利さと安泰を「自然に近い生活に戻る」ために捨てるという、感動的にも聞こえる話を耳にすることは何度もある。たとえば山林に小屋を建てて、電気を使わず暮らし、土地を開墾して野菜を植えて、動物を飼って口腹を満たす、というようなものだ。多くの場合、そういった生活は、現在の拠点を引き払って移住し、根を下ろすというところまではいかない。それは「余暇」の活動としておこなわれたり、「都市生活の喧騒」から逃れるためになされたりする。つまりそれは、自らに困難を強いるというよりも、本質的には「贅沢」な活動である、ということを意味している。ロマンティックな思想にもとづいて「自然」を眺めることを許すだけのゆとりがあるがゆえに、贅沢なのだ。それは自然とともに暮らす「必要」のある、農村や山林に住む貧しい人々とは違う。利用できる電力もなく、他の選択肢もないゆえに同じものを食べ続けて暮らす。山や森で味わう寂漠たる空気に変化を与えるべく逃げ出して、都市の享楽を求めるための金銭的余裕もない。

もしそういった貧しい人々が、自然は「神聖」なものであると考えるのであれば、その神聖さは彼らを困難から救い出してくれるようなものや、すでに悲惨である生活をさらに深刻なものにしてしまう危機から守ってくれるものになるだろう。それは超越主義者の唯心論的な神聖さや、それを精神的な達成のための道程と考える、ロマンティックな芸術家たちの神聖さとは違うものだ。

実際のところ、ヘンリー・デイヴィッド・ソローやテッド・カジンスキーのような人々の行動も、自然に憧憬を抱く中産階級の行動と同じ分類に入れることができる。この二人の、共同体から離れ、「自然」の美と質素のただなかで孤立した暮らしを送ろうとする決断は、それを「選択」できる立場にいる人間による選択なのだ（ソローの言葉を使えば「実験」でもいい）。ヨーロッパへバカンスに行ったり、調査研究のために小さな島に旅したりすることを選ぶのと変わりない。ソローの生活には存分な自由があった。それはソローが自由であることを主張したからだけではなく、その自由を許容できるだけの状況に彼がいたからでもある。

彼は決して裕福ではないが、貧しくもない家庭の出身だった（彼の家族は鉛筆製造に従事していた）。そして、エマーソンのような後援者もいた（エマーソンはソローが小屋を建てた森のもちぬしだった）。これらの条件が揃ったおかげで、彼がアメリカ東海岸の上流階級の世界で暮らせていたことは疑いない。カジンスキーの場合も同様で、彼は中産階級の出自であり、国でトップクラスの大学で高等教育を受けていた。そして彼の弟が、遠くから金銭的支援を続けていたのだ（最終的には、この弟が、捜査員がカジンスキーを逮捕するのを手助けすることになる）。

けれども、彼らのような人々のとった選択は、同じような立場にいる人々の欲求と相容れないものだった。その生き方は「平穏」かつ「困難」であり、集中と勇気を必要とする、驚くべき「自己信頼」（self-reliance）すらそなえているものだった。それゆえその行為は、ロマンティックな人々の目には、賛美すべき特別なオーラを発しているように映るのだ。一方で、日々そのような生活を送っている貧しい人々が、同様の興味関心をもたれることはない——自然と、自然の中に生きることが「他なるもの」に変わるとき、自然の中において「必要」に応じてなされる普通の生活は、英雄・覇者の生き方として格上げされるのだ。

どんな理由で、中産階級が自然の中に生きることが英雄のおこないになるのだろうか——それは、中産階級が、人間の直面する問題とは、社会的構造や統治者による抑圧から生まれるのではなく、精神的な、道徳的な、魂の問題であると信じているからだ。個人が「自己に打ち勝つ」ことや「精神のステージを上げる」ことが、人生の最高目標になる。中産階級はこの点を「真理」であると認識しており、それと「異なる」ことは、個人的な勇気に依拠するものになる（勇気を出して出家する、勇気を出して裕福さを捨て質素な暮らしをする、勇気を出して資本主義へ反逆する、などなど）。だが結局のところ、その勇気が自分たちの思考的基礎や立場を揺るがす方向に使われると、彼らは自らの信じているものを守るために、そこに見い出していた英雄性を単なる「狂人」のものにすげ替えたり、言い逃れと反論のための弁明をおこなったり、それが不適切なものであると主張したりする。

それゆえ、中産階級にとっての英雄は、表面的で浅薄な英雄的特質しかそなえていないということになる。歴史上──あるいは現代において──（わずか二年と二ヶ月ではない）一生のあいだ、多くの記録を残して出版することもないまま、自己信頼とともに孤立して森に暮らした人がどれだけいた／いるのかどうか、ぼくたちに知るすべはない。しかし、そういった人々がかつては中産階級社会の一員であり、本当にそこから離脱したのだとすれば、彼らは中産階級の興味関心からも賞賛からも遠ざかっていったということを間接的に意味するだろう。

ぼくは、汎神論の応用（つまり神聖な力への信仰を、科学的に自然をとらえるものに変える、ジェームズ・ラヴロックのガイア理論に似通った方法）を、「地球環境保護」の適切なビジョンとして用いることができると考えていた。だがつきつめれば、結局その考えは、中産階級以上の人々の中にだけ存在できるロマンティックな思想の泥沼にはまっていた。そして地球温暖化防止運動の流行ですら、それが大きな影響を与えるのは他ならぬ都市社会の中産階級なのだ。それは、貧しい人々が世界レベルの問題に興味をもとうとしないということではなく、彼らの生活では、日々の喫緊の問題をまず重視しなければならないからだ。一方の中産階級は、考えるか、考えないかの選択をすることができる。そしてもし考えることを選んだ場合、その思索を皮相的なものにするか、本質的なものにするかというさらなる選択肢が現れる。

社会と「地球」が、あらゆる変化に際して、中産階級に真剣な期待をかけない主な理由、それは、思考や行動における浅慮な選択が、どんどん一般的なふるまいになっているからだ。自動車に乗るのをやめたり、エネルギーに依存する活動をやめたりすることを実際に選ぶよりも、エコバッグを「気にかけている」ことの象徴として使う。社会の歪んだ構造を解消する方法を探求するよりも、自然の中で「孤立」することを選び、心を癒やしたり、自分の個人的感覚にもとづき、それを満たす美しい生活を送ったりする。

中産階級の大流行語、あるいは統治者たちが中産階級の浅薄な思考と行為をそのままにとどめておくために唱える呪文に、「自らの役割を最大限に果たす」がある——これは、それ以上のことをする必要はないという弁明であり、自らに正当性を与える言葉でもある。「自らの役割を最大限に果たす」ことには、「社会における善人」として最大限にふるまうことが暗に要求されているからだ（「最大限」がどういうものなのか決める基準は必要なく、自分に都合のいいように解釈をすればいいだけだ）。それ以上のことをしようとする人々が現れたときには、一線を越えたとなじられたり、社会の平穏を乱したと非難すらされたりする可能性があるのだ［☆5］。

もし本当に力を合わせて行動しようと考えるなら、中産階級は、運動を起こし、種々の条件を変化させる潜在力を、貧しい人々よりも多くもった集団となるだろう。だがその絶大な力、機会、彼らの生活がはらむ贅沢ゆえに、彼らはそれらを

☆5 現代のタイにおいて、国王のスピーチや首相の演説、その他社会的に影響力をもつ人物の発言の中で、市民ひとりひとりの「役割《ナーティー》」が強調されることが多々ある。自らの役割を理解し、その役割を果たすことで、国家と国民の団結と調和に寄与するのが「よき国民」の姿だと考えられることが多い。現代の政治対立の中では、保守派による民主化勢力への批判の中で、「他人の人生を邪魔するのではなく、自らの役割を最大限に果たすべきだ」というニュアンスの言葉が多用された。

失うことを恐れ、自分の周囲を超える範囲でそうした力を行使しようとはしない。だからこそ、自らの行動と考えを守るべく、さまざまな言葉や思想を創り出すのだ。それゆえ彼らの人生の目標は、利便性や満腹や十分な病気の治療薬ではなく、精神的な達成や、自然に近しい暮らしへの憧憬となる。社会的な目標は、平等と公正な自由ではなく、「自らの役割を最大限に果たす」ことになる。

汎神論、スピノザ、ソローやカジンスキーのような孤立、シキホールの魔女と祈祷師、精神の問題、地球温暖化、ガイア、科学、「地球愛護」についての思索と調査、そして黒魔術の島における質素な暮らしのおかげで、結果的にぼくは、社会の構造とそのシステムを見つめなおすことになった。

そしてどうやら、「ぼくはいったいなにから逃げているのか？」という問いへの答えが、少しずつはっきりと見えてきているようだった。ぼくの目に映る海の波と雲の峰が、日を追うごとに「普通」に見えてくるのにつれて。

マックスもエドウィンも、シキホールから出ていくことを望んでいた。マックスはおそらく、淑人さんの支援を受けて日本に留学することになる。エドウィンのほうは、アメリカに親戚がいて、そこに移住するかもしれないと言っていた。マックスに関しては不思議に思わなかった。この青年は海外の文化にとても飢えていて、世界中の若者と同じように、テレビとインターネットを通じて現代の流行から影響を受けているように見えた。しかし少なくともエドウィンは、故郷の島についての深い知識と理解をもっていた。彼こそが、シキホールは黒魔術の島ではなく、魔女と祈祷師は実在せず、伝統医と習慣的信仰にもとづく儀式があるのみで、呪文も存在せず、病の治療があるだけなのだとぼくに諭してくれた人間だった。そしてぼくはついに、その通りだと考えるようになったのだった（マナナンバルたちの「治療」法が正しくて効果があるということは信じなかったにせよ、この「治療」こそがシキホールにマナナンバルたちが存在する目的であり、黒魔術で人々を呪うためではないことは理解した）。だが結局のところ、シキホールのような楽園の島の美しさも、質素さも、自然との近さも、誰かひとりの生活を成り立たせる必須の条件とはなりえなかったようだ。特に、その場所で生まれ、生涯をそこで過ごしてきた人たちにとっては。

世界の最先端を走り、喧騒を極めた国のひとつである日本という国を離れて、シキホールのような島で余生を過ごす淑人さんという人がいる。マックスやエドウィンのように、シキホールという小さな島を抜け出すことを望み、もっと「発展」していて、もっと騒がしい国で暮らすことを望む人もいる。

人々の生活を駆動させるのは、精神的なものごとでも、どのような思想でもない。むしろ、生活状況とその環境なのだ。人が変化を求めるときには、そこで求められる変化は、さまざまな次元における「もっとよい」生活状況に向けて進むものになりがちだ。中産階級が孤立を目指して旅に出たり、自然に近づいていったりするときに、それがどんな思想や信仰にもとづいていようとも、彼らの本当の生活状況や環境がそれに合わせて変化することはない（貧しい人々が職を求めて大都市を訪れ、生活状況と環境を一変させるのとは正反対の話だ）。「自然に近づく」ことで、彼らは自然の一部となってそこに「帰っていく」ことを望んでいるわけではない。むしろ、彼らが「人生の真の意味」だと信じることをおこないたいと望んでいる――結局のところ、生きていく上で「いい気分」になれるように自分自身に働きかけているだけなのだ。

糊口をしのぐことが生活の重要事項でなくなると、人間は新しい問題を生み出して、それを自らに課そうとする。たとえば精神的な不安定さの問題、相互の関係の問題、生活状況と環境をより安定した濃密なものとして保つための問題などだ。ロマンティックな思想のもちぬしたちは、これらの問題の原因を、産業システム、仕事と抑圧だらけの都市社会で生きていることに求める。その結果、それとは正反対の生き方へと向かう（自然との共生に帰っていく）ことがその出口となる。個人レベルならば、彼あるいは彼女は誰と関わる必要もなく、望み通りに人生の静寂と出会うことができるだろう。たとえば、仙人のような暮らしをする、というようなことだ（実際に、どこかの国の片隅には、そういった人たちがいまだに存在しているのだ）。だがそれは、精神的な達成や神聖なる力への到達を示す証拠にも証明にもならない。単に、人間が熱意をもてば、望み通りに孤独な生き方をすることができると示すだけなのだ――それはただの「生き方」にすぎない。人間としての命を超えた「他なるもの」へ向かう道程などではない。

マックスもエドウィンも、シキホールを訪れたよそ者に劣らず、シキホールの美しさに感じ入っているはずだとぼくは思っていた。だがそれは、彼らのようにその場所の状況や環境に身を置く人々が「懐かしい」と感じたり、執着したりするものではないのだろう。彼らは、そう思えるほどの余裕がある贅沢な生活を送ってはいなかった。あるいはいつか、マックスがマニラや東京でビジネスマンとして成長したとき、故郷の島で子どもの頃に眺めた夕日が海に消える金色の空を恋しく思い、質素な暮らしへと回帰することを望むのかもしれない。いつかエドウィンがその願い叶ってカリフォルニアでダンサーになり、仕事に疲れ、愛する人と別れ、周りの人々から不当な扱いを受けたとき、彼は古いバイクを駆って山を登り、この楽園の島の冷たい風を浴びたいと思うのかもしれない。だがどちらの場合も、シキホールの暮らしにおける自然との近さが、都市の暮らしより「優れている」ことを示しはしない。それはただ、自分をとりまく環境から抜け出したいと望む人の気持ちにすぎない——これは誰にだって生まれうる感情なのだ。だがこのような感情を抱き、さらにそれを実現できる人は、「選択肢」と呼ばれる贅沢さをもちあわせている。

ヴィラ・マーマリンの孤独なコテージの前に広がるビーチで、ぼくがもっともよく目にした光景がある。それは、海の中をうつむきながらゆっくりと歩き回る、地元の人たちの姿だった。彼らはウニを探していて、その身を剥いて食べたり、売ったりしていた。この光景はぼくの部屋に面したビーチだけではなく、島中のほとんどあらゆるところで目にすることができた。瓶詰めのウニは、市場でも道端でも一般的に見られる商品だった。行商が瓶詰めのウニを売って歩いているのをしょっちゅう見かけたし、ぼくにとってもお気に入りの日常食だった。ウニスパゲッティ、ウニチャーハン、ウニソースオムレツ。もしもっと長くシキホールに滞在していたら、水の中を突き進み、顔なじみになった地元の人たちから、ウニの獲り方と剥き方を学ぶ機会もあっただろう。

滞在も終わりに近づいた頃の島での日々は、ここを訪れたばかりのときのよう

ウニを獲る地元の人たち。彼らはそれを売ったり、自分で食べたりする
ビーチで毎日目にする馴染みの光景だった

な朗らかなものではなかった。フィリピンの他の場所でかつてぼくを追い立てた雨嵐が、ついにぼくを見つけ出し、ぼくに嫌がらせをしているようだった。以前は目覚めのときから黄昏まで晴れ渡っていたコテージの前の空は、一面がくすんだ灰色に変わってしまっていた。

エドウィンは、いまだに暇な日にはぼくを連れ出して、熱心に島を案内してくれていた（マックスは勉強が忙しくなりはじめていた）。たとえ陰鬱な天気でも、ぼくたちは予定通りの放浪を強行した。それは魔女や祈祷師を訪れるよりも、何倍も危険な冒険になった。ぼくたちがバイクにまたがってうら寂しい道を進んでいるところに、容赦ない大雨が降り注ぐこともあった。バイクを停めて雨宿りする場所がないときには、分厚い嵐のカーテンを突っ切らなければならない。おかげでぼくらはびっしょりと濡れそぼって、洋服とも靴とも一体化した水人間になってしまう。エドウィンは速度を落とし、バイクをゆっくりと進ませる。タイヤが路面の水をかき混ぜて弾き飛ばし、それが両側に線となって飛び散る。嵐が過ぎ去るまで、木陰や道端の商店の軒先で雨宿りをすることもあった。地元の人が駆けていって、薮に生えたバナナの木から大きな葉をちぎって傘にして、雨の中をのんびりと歩いていくのを目にすることもあった。

ぼくがコテージでの読書に没頭している日であれば、豪雨がもたらすのは真に孤独な空気だった。目に見えて、耳に聞こえる範囲には、人間の気配や、他の生物の存在を感じさせるどんな動きもない。重厚な雨水が、海の体躯を覆い尽くしていた。ウニ獲りの人々はいつもの仕事を休み、その日の夕食にウニの身は並ばなかった。

雨宿りをすることになったある日の午後、ぼくはエドウィンに連れられて、シキホール島に着いたときから目にしていた教会に入った。シキホールには、島のあちこちに教会が点在している（シキホールの人口の大部分はカトリック信徒だ）。島への訪問者は、船を降りて数分もしないうちに、かならずこの教会を目にすることになる。ぼくは、そのときはじめて、この教会の名前がアッシジの聖フランシスコ教会（一八七〇年建造）であることを知った。この島における重要な旧跡のひとつだ。エドウィンは、アッシジの聖フランシスコはシキホールの教区の聖人・庇護者であるとみなされており、毎年一〇月には聖フランシスコを讃える行事が催されていると教えてくれた。アッシジの聖フランシスコへの信仰と習慣化された賛美は、スペイン植民地時代（そしてシキホール島を「発見」したと言われるスペイン人船乗りたち）に由来するものだ。

アッシジの聖フランシスコの生涯は、「自然」と興味深くつながっている。彼は一二世紀イタリアのカトリック教会の聖人だ。彼は「動物と自然を愛する聖人」であったと言われており、一九七九年には、教皇ヨハネ・パウロ二世によって自然環境保護の聖人に指定された。

聖フランシスコは裕福な商人の家に生まれた。若い頃は娯楽と放埒に夢中になった。心身ともに気楽な「ハイソの子」の生き方をしていたとたとえてもいいかもしれない。同じような富豪の子息たちばかりと付きあい、日々を自らの享楽のために使っていた。だが、戦場に赴いた経験と大病が、彼を精神的な世界へといざない、そこから抜け出せなくさせたようだった。彼は、それまでのフランシ

シキホール島のアッシジの聖フランシスコ教会
1870年建造

スコとは異なる行動を見せるようになる。友人たちと距離をおき、かつては好んでいた金銭や心身を誘惑するものに興味を示さなくなり、人里離れた場所で孤独に過ごし、村に住む伝染病患者に奉仕し、乞食の集団とともに祈りを唱え、神との交信を試みた。そしてついに、キリストから啓示を受けたと宣言する。「壊れそうな家を修理せよ」という神からのお告げを受けたのだ。それから彼は家を出て、乞食として暮らした。中庸を旨とし、財産を所有せず、貧しい人として暮らし、靴すら履かず、旅をしてイエスの教えを広めて回ること、これらの生き方が、自分のおこなうべき、神に仕えるための手段だと信じていた。

聖フランシスコは、宗教を信じない人々にすら興味と愛着をもたれたカトリックの聖人だった。特に、自然保護主義者と環境主義者からはそうだ。なぜなら、彼にまつわる逸話は「自然を愛する」ことについてのものばかりだからだ。たとえば鳥の群れに説法を聞かせたり、村人を困らせる狼を止めたりしたというようなものだ。聖フランシスコは、自然のあらゆる粒子に神の存在が反映されていると考え、人間と、それ以外の生物や無生物を区別しなかった。動物はみな人間の兄弟になった。山や崖、森の木々でさえも。太陽や月、さらには病に至るまで人間の親類になった。それが神の意志だからだ。

汎神論やスピノザの哲学とは異なり、アッシジの聖フランシスコの思想では、世界のなりゆきを決定する力をもった創造主としての神が信じられていたし、奇跡も信じられていた（逸話によれば、彼自身も信者の前で奇跡を起こしてみせたそうだ）――簡潔にまとめてしまえば、聖フランシスコは自然から「超越」して、「分離」された形の神の存在を信じていたということだ。神は自然ではない。だが自然は神が創造したものなのだ。それゆえ、自然への愛や自然との共生といったものは、神への愛とは異なるものになる。それは神による創造――あるいは「作品」――への愛なのだ。

こういった特徴をそなえた愛には、信仰する者が環境に気をかけたり、人間と自然の関係に敏感になったりすることを後押しする効果はあるかもしれない。しかし、この愛は人間の自然に対する直接的な責任という意識を植えつけるようなタイプのものではない。むしろ、人間が崇め、畏怖するものに対するご機嫌伺い

アッシジの聖フランシスコの肖像
動物を愛し、動物に愛された存在として描かれることが多い

を表明しているにすぎない。自然は神の意志によって生まれ、それゆえ、ぼくたちは自然を愛する。この愛は自然のために存在するのでも、ぼくたち自身のために存在するのでもない。神を愛しているということを、神の前に示すために存在するのだ。その結果、神は自らを愛するものを引き続き愛してくれる。

教会での雨宿りは、ぼくに、アッシジの聖フランシスコの、宗教にもとづいた自然への愛を思い出させた。ぼくは、自然に関するさまざまな思想をふりかえり、それらと比較してみた。汎神論的な、超越主義的な、ロマンティックな、産業システムとテクノロジーに抵抗する活動家たちのような、ジェームズ・ラヴロック的な、スピノザ的な思想、と。

すべての思想は細部で異なっており、異なる目的をもっているとはいえ、自然、人間、そしてさらなる高みにいる「他なるもの」の階級を区別する構造から生まれていた。つまり「自然」が、いま見えていたり、いまそうであったりするものよりも「もっといい」あるいは「もっと深い」どこか、人間の一般的な生活の一部ではない場所へと人間を連れていってくれる、という意味をもっていた――スピノザの思想を例外として。

　スピノザの哲学は、万物の創造における「必然性」を強調しているゆえに「決定論」と呼ばれる哲学に分類される。世界に存在するあらゆるものは、あらかじめ定められているということを示す哲学だ。人間は万物の一部であるゆえに、「必然」の影響を逃れることができない。スピノザは「自由意志」の存在を信じていなかった。それは、人間の感情的な「誤謬」であると考えていた。人間は、自身がその行為と欲望を制御しているという感情にもとづいて行動している。だが実際のところ、ぼくたちはその他の「自然」な要素の必然に従って「進んで」いるだけなのだ。

　けれども、ここで非常に矛盾しているように見えるのは、「自由」という言葉もまた、「必然」に負けず劣らず、スピノザが重視していたものだということだ。すべてが決定づけられた世界に、自由がどうやって存在するというのか。スピノザ的な「自由」の意味を理解するためには、おそらく「誤謬すら実在する」といった表現からはじめなければならない。

誤謬の実在とはどういうことか――スピノザにとって、万物は万物の一部として存在している。そして「存在しない」ものを、存在させることはできない（それゆえ彼は、自然を超越した力や奇跡を信じなかった。自然が自然に干渉することも、自然の中に生まれえないものを生み出すこともできないのだ）。だが人間の思考と感情は、人間の意識内に成立する。それゆえ「存在する」し、万物の一部である。たとえ具象的でなくとも、思考と感情は実在する。スピノザは身体と精神を切り離していない。彼は、それらが協働する――同じものである――と考えていた。誤謬たる感情は、たとえ「真実」ではなくても実在するし、真実であるかのように人間の行為の推進に影響を与える。愛の感情は、世界に対してなんら具体的な意味をもたないが、人間の中に実際に生まれる。それゆえ人間にとって「本当である」という特質をもつ。

スピノザの哲学を形而上学とみなし、「神」や「自然」といった大きな言葉の罠にはまり、また特に、決定論的な特徴に影響を受けてしまうと、スピノザが単に広範で大きな問いにしか興味をもたなかったかのように考えてしまうかもしれない。つまり「なぜなにもないのではなく、なにかがあるのか」といったような問いだ。あるいは彼が、社会や文化の「存在」を重視せず、実存の意味だけを探求したかのように考えてしまうかもしれない——だがその逆で、政治と統治の論点は、「神」の意味を再検討することと同じくらいにスピノザが真摯に思索したテーマだった。そしてそれが、現代の思想家たち、特にアントニオ・ネグリのようなマルクス主義者の政治活動家・哲学者や、ジル・ドゥルーズやエティエンヌ・バリバールといったフランスの哲学者の発言の中に、スピノザの思想への興味がくりかえし現れる理由なのだ。哲学界におけるスピノザは、一般的に「啓蒙」思想の先駆者であり、その運動に先鞭をつけた重要人物のひとりとして賞賛されている。それはつまり、スピノザが、科学的な論理の使用、個人の自由という権利、階級の存在しない多元主義的な社会認識を推し進めた哲学者であるということを意味している。

それ以外にスピノザの思想は、現代の知識人と科学界から大きな関心をもたれている心理学と神経学の理論の発達においても役割を果たしている。アントニオ・ダマシオのような神経学者は、スピノザの哲学における「情動」(emotions)という概念を用いて、神経の働きに関する研究の発展における重要な道しるべとした。情動は単なる誤謬であり、それ自体に分析の価値はないとみなす考え方をダマシオはとらなかった。スピノザは「自由意志」の存在を信じなかった。だがそれは、決定論的思考と「自由」の重視のあいだの矛盾と同様、スピノザが、人間は「自由」に思考や情動を統制する能力をもつとは信じなかったことを意味するわけではないと、ダマシオは考えていた。ダマシオは『スピノザを探して』において、こう提示している。

よく言われることだが、スピノザは自由意志の存在を信じていなかった。それは、明白な指令にしたがってどう行動するかを人間がみずから決定するような倫理体系とは真っ向から対立する考え方だ。だがスピノザは、われわれが選択することを意識しているということを否定しなかったし、事実上われわれが選択〈できる〉ことを、そして自身の行動を意図的に統御できることを、否定しなかった。彼はいつも、われわれが正しいとみなす行為を支持し、悪いとみなす行為を慎むように薦めた。人間の救済に対する彼の戦略全体が、われわれが意図的な選択をするということに依存している[☆6]。

たとえスピノザの思想において万物が同一のものであるとしても、その同一性は、ぼくたちが自然の中に見るような、さまざまな「様態」あるいは「形式」の複合によって構成されている。それは、同じシステムと目的（その身体の生存）のもとに機能しつつも、さまざまな器官から構成されている「身体」と比較できる。身体の様態のそれぞれにも、それ自身の役割と働きがある。

人間と自然（あるいは神）は、ひとつの身体だ。だが人間も、その身体における他の部分とは異なった特徴をもつ様態なのだ。それゆえ、人間の行為と生には、それ自体のための空間が存在する。そして人間であるぼくたちは、その空間のことをなによりもよく学ぶことができるし、そこには何度でも到達できる。あるいはぼくたちの認識能力は、実際のところ、その空間内だけに限定されていると言ってもいいのかもしれない——環境（地球）と人間の関係と同様に。ぼくたちが認識できるのは、せいぜいぼくたちが地球上の自然に対してどのように感じているかということや、ぼくたちが現在自然に対してなにをおこなっているかということにすぎない。ぼくたちは自分を自然に仮託することはできないだろう（ラヴロックのように、人間が地球、あるいはガイアの目であり脳であると示すことは、ぼくたちが知りえないことへの志向の一例であり、証拠のない「思いこみ」でもある）。そして、地球が本当になにを求めていて、どのような状態であるのかを与り知ることもできないだろう。ぼくたちにわかるのは、ぼくたちの望むものと、ぼくたちの状態だけだ。総体的に見たときに、ぼくたちが世界に対して、ぼくたちの望

☆6　原題は*Looking for Spinoza: Joy, Sorrow, and the Feeling Brain*。訳は以下より引用。アントニオ・R・ダマシオ『感じる脳——情動と感情の脳科学　よみがえるスピノザ』、田中三彦訳、ダイヤモンド社、二〇〇五年、二二八頁。

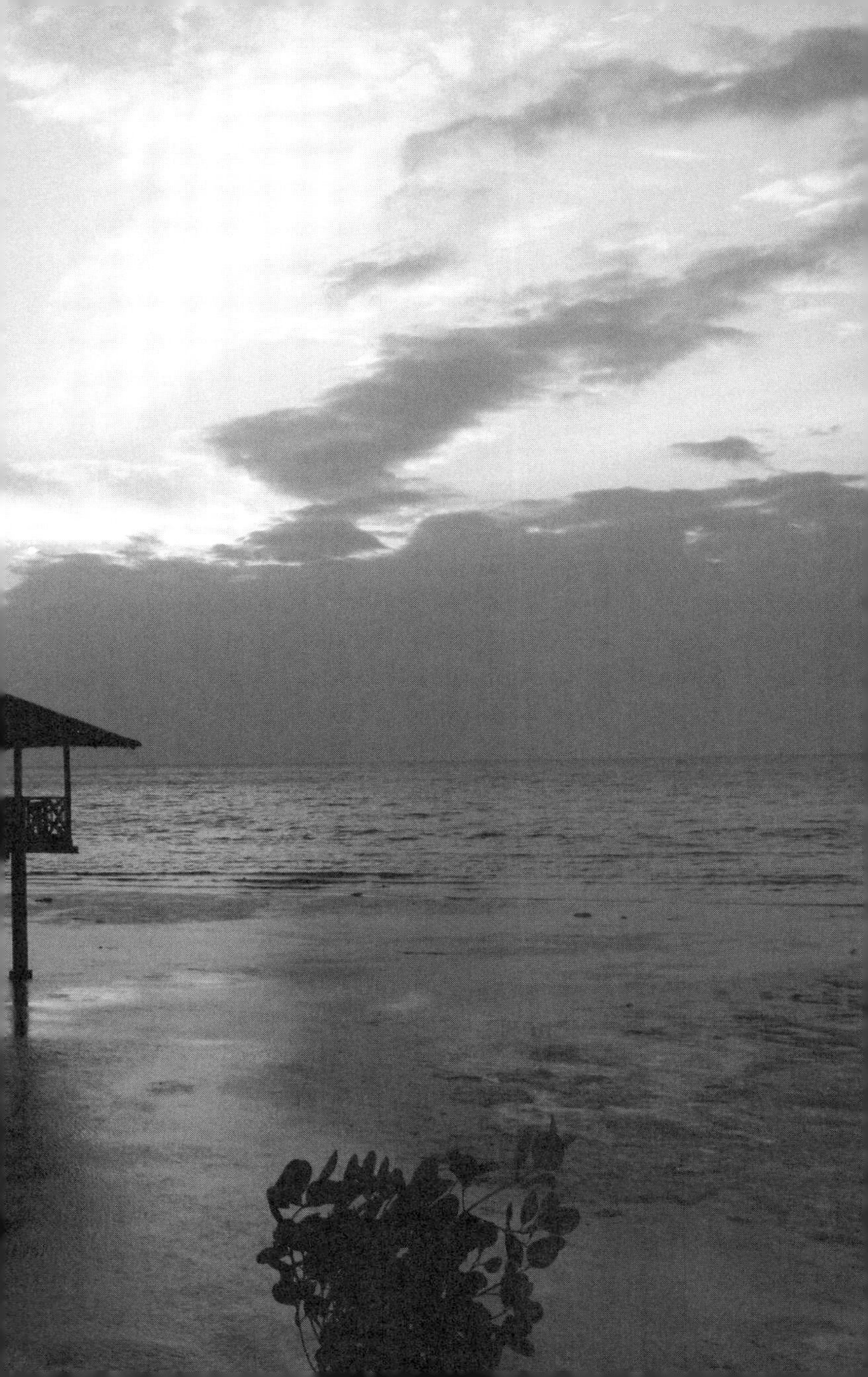

シキホール島における一般的な様式で建てられたコテージ

むような意義をもちあわせていないとしても、ぼくたちの様態においては、そしてぼくたちの空間においては、人間は意義をもつし、人間同士のあいだで「価値」をもつのだ。人間の情動は、全体においては誤謬かもしれない（それをぼくたちは理解することができない）。しかし、人間にとっては誤謬も真実である。

結局のところスピノザが主張しているのは、「人間であることが自然であること」への認識が人間にとってもっとも重要だということだ。マルクス主義者の政治哲学者や現代の思想家たちがスピノザの哲学に関心を寄せるのは、もしかするとそういう理由からかもしれない。そしてそれは彼の哲学を、個人的な次元における人間と社会的なレベルにおける人間の関係という論点に、間接的に取りこむことになる。そこで、人間と「自然」の関係について思索する必要はない。

まるで、光の面と闇の面の両方を見せたいと望んでいるかのように、シキホールは最後の夜まで重苦しい空気に包まれていた。一日中しとしとと降り続いた雨のおかげで、ぼくはどこにも出かけられなかった。それはつまり、マックスとエドウィンに別れを告げようという試みが失敗に終わったことを意味していた。しかし、シキホール時間の不確実さにあやかって、明日の朝、三輪タクシーに乗って港に向かう前に、二人がぼくのところにやって来て、ぼくにお礼を言わせてくれるかもしれないと期待していた。

旅の終わりがだんだんと近づいてきた頃、黒魔術の島のマナナンバルと汎神論を結びつけようという当初の考えは、ほとんど消えてしまっていた。この島の人々の多様な生活のおかげで、ぼくは彼らの歴史や一般的な文化のほうに、もっと興味をもつようになっていた。魔女や祈祷師との対話から多くを得たとは思えなかったが、シキホールについてのそうした言い伝えが、ぼくをこの島への訪問に駆り立ててくれたことについては、よかったと思っていた。この島には魅力がある。シキホールでの生活は、この一年間の流浪の中で、もっとも深く心に刻まれた経験になった。

ぼくがマックスのバイクの後ろに乗って、風を切って浜辺の道を進み、海沿いの墓地に向かった朝。この旅ではじめて、「ひとりきり」という言葉の意味を感じたとき。それまで、そんなことを考えたこともなかったのに。

そして問いが追いかけてくる。「ぼくはいったいなにから逃げているのか？」この問いが、島で過ごした最初の一日から、滞在中ずっと、ぼくを脅かし続けた。ぼくが出会うかもしれなかった呪文やまじないよりも恐ろしいものだった。

ふりかえってみれば、今回の長旅では、少なからず「夢に見た」ような体験をすることができた。危険で記憶に残る冒険。簡単に目にすることはできず、そしておそらく二度と見ることもできない美。貴重な「教訓」たりえた人々の言葉や行動。いつか暮らしてみたい、試してみたいと感じていた環境と生活。さらにこの期間、ぼくは真面目に本を読むことができた。自分の知らなかったことや知りたかったことを研究する時間になった。腹いっぱいになるほどに自分自身と過ごした結果、自分は、誰かに一緒にいたいと思ってもらえるような人間ではないという結論を出すこともできた。

「他の場所」で自分自身と出会うとき、特に、家にいるときのような普段通りの行動が許されない環境にいる場合、自分でも奇妙に思える自分自身の一面に出会うことがある。自分がもちあわせているとは思いもしなかった勇敢と無謀、長いあいだひた隠しにしてきた臆病の顕現、頭にとどまり続けていながら、普段は気にとめていなかったなんらかの思考。

もっとも奇妙だったのは——ある夕暮れ、そびえ立つ雲の城下に差す、ピンクを含んだオレンジの、その日の最後の光の中でのことだった。白砂の浜辺に立つぼくは、海に向かって進む二人の地元民の影を追っていた。彼らはいつものように、体を屈めてウニを獲っていた。そのときに、ぼくはこんな場所にいたいとは望んでいない、ということに気がついたのだった。

ぼくは、「自然」の近くで過ごすことも、ヘンリー・デイヴィッド・ソローがウォールデン池のほとりに建てた小屋で実験したように「孤立」することも望んでいなかった。かつて、それが理想の生活であると確信していたことすらあったにもかかわらず。似たような特徴をもつ場所を旅しているときに、「ここで過ごせたらいいのに」という考えが思い浮かぶことも多々あったし、人里離れた田舎の家、朗らかで快適で質素で静かな「地上の楽園」を空想したことも、何度だってあった。

だがそれは、想像上の空間でしかなかった。

ぼくたちはそれぞれ、自身の思考と想像の中で過ごしている。そして時々、それらと長く一緒にいすぎることがある。もっと言えば、思考や想像の大部分は、どこかから与えられたイメージだったり、ぼくたちの過ごす状況や環境の中で構築されたものだったりする。ぼくたちは、疑問をもつことなく、思考や想像の中で一生を過ごすこともできる。けれどもときに、経験や思索が、ぼくたちに異なる認識をもつよう促してくれることがあるかもしれない。

ロマンティックな思想は薄い壁となり、ぼくの周囲をずっと囲い続けていた。それは、ぼくたちを脅かしたり、抑圧したりするような壁ではなかった。その逆で、暖かい光芒をほのかに放ち、そこに寄りかかったり寄り添ったりするようにいざなう、神聖な力を帯びた、ぼくたちの精神と接続された壁だった。ぼくがその壁の中で生き続けて、壁とともに消滅して、分解されて堆肥となり、次の人々のために壁を堅固なものにしていくべく栄養を与えたとしても、なんの問題もなかったのだろう。

だがその壁、あるいはその他の思考の壁は、誰かを永遠に閉じこめておくことができるものでもなければ、牢獄でもなかった。隙間を見つけることさえできれば、ぼくたちはそこから出ていくことができるのだ。もし、ぼくたちがそう望むなら。

出口を探したいと望んでいる自分に気がついていないながらも、ぼくはロマンティックな思想の壁の中を、長いあいださまよっていた。そしてついに、シキホールの美しい姿容とスピノザの呼び声が、ぼくを壁の外に連れ出した。そして、ふりかえってその壁を眺めることができるくらいに、ぼくは壁から離れた。

ぼくは都市の人間だ。そしてぼくは生きていきたい。

それが、ぼくが逃げ続けてきた考えだった。

帰る日の朝、ぼくは淑人さんにだけ別れを告げることができた。彼と一試合もテニスをしなかったことを、残念に思った。女性スタッフが三輪タクシーを呼んできてくれた。そしてぼくは、どんな感情を抱くこともなく、ヴィラ・マーマリンをあとにした。ぼくはここが気に入っていた。もし再びシキホールを訪れることがあれば、きっとここを利用するだろう。だが、都市に戻っていくのだという心構えのほうが強すぎたようで、名残りを惜しむための余裕は残されていなかった。

ぼくは、ドゥマゲティで一晩を過ごした。それからマニラに飛んで、タイ行きの飛行機に乗るのだ。小さな街ではあるが、ドゥマゲティは大学街として栄えており、活気があった。現代的な発展がすでにあって、黒魔術の島での生活とは完全に異なるものだった。

その夜、ぼくは街を散歩した。小さなギャラリーでアート作品を見て、浜辺の喫茶店で夕食を食べた。ここの空は、シキホールの空の美しさとは比べものにもならない。けれども誰もが理解しているように、これは同じ空なのだ。ホテルに戻って眠りにつく前に、ぼくはアイスクリーム屋に寄って、その晩の放浪を終えた。アイスクリーム屋では、好きなチョコレート味を頼み、人々が楽しげに交歓しているのを眺めていた。

ホテルの客室は、退屈な見た目をしていた。ここの子守唄は、風音でもなければ、蛾の羽ばたきでもなく、道路を走る車の音だった。

ぼくは街の中にいる。自然の中にいる。

そして、眠りを求める生き物だ。

シキホール島の海面にそびえ立つ雲の形は、いつも驚きを与えてくれた

図版提供・撮影・キャプション＝プラープダー・ユン

ただし以下を除く。

二頁　地図作成＝水戸部 功＋北村陽香

五六頁　スピノザ
URL= https://commons.wikimedia.org/wiki/File:Spinoza.jpg　Public Domain

九五頁　ソロー
URL= https://commons.wikimedia.org/wiki/File:Benjamin_D._Maxham_-_Henry_David_Thoreau_-_Restored_-_greyscale_-_straightened.jpg　Public Domain

一〇三頁　ウォールデン池畔に建っていたソローの小屋
URL= https://commons.wikimedia.org/wiki/File:Walden_Thoreau.jpg　Public Domain

二〇八頁　アッシジの聖フランシスコの肖像
URL= https://commons.wikimedia.org/wiki/File:Giotto_di_Bondone_-_Legend_of_St_Francis_-_15._Sermon_to_the_Birds_-_WGA09139.jpg　Public Domain

NO NEW TALE TO TELL
Words & Music by David Haskins, Daniel Ash and Kevin Haskins

訳者解説

1

本書は、タイの作家プラープダー・ユン（一九七三年－）が二〇一五年に発表した“ตื่นมาบนเตียงอื่น”（違うベッドで目覚める）を日本語に翻訳したものだ。二〇一六年から二〇一八年まで『ゲンロン』で連載された原稿を単行本用にまとめ、改稿した。

創作、評論・エッセイ、翻訳、映画脚本と、執筆の幅が広いプラープダーだが、本書を評論・エッセイとして分類するならば、科学にまつわる『美しくない花』（ดอกไม้ที่ไม่สวย、二〇一四年）に続く一二冊目の評論・エッセイ集となる。

序文にも記されているとおり、プラープダーは日本財団が主宰していたＡＰＩフェローシップの二〇〇九年フェローに選出された。そして「日本とフィリピンの現代美術と文化に見られる自然汎神論の新たな兆候」というテーマを設定して[☆1]、フィリピンと日本に渡航する。本書はそのうち、フィリピンでの滞在について記した紀行書であり、哲学エッセイでもある。今後、日本での滞在記の執筆も予定されている。

本書の舞台は「黒魔術の島」とも呼ばれるフィリピン、ヴィサヤ諸島に位置するシキホール島。フィリピンで、「自然」に関する活動をおこなう芸術家へのインタビューを続けていたプラープダーだが、新しい発見や経験と出会うことができず、自身の旅の失敗を危惧する。そんな折、フィリピンの作家たちとの交歓で話題に上った「シキホール島」に興味をもった彼は、島への渡航を決意する。島でガイド役を請けおってくれたマックスとエドウィン、彼らに導かれて出会った「魔女」や「祈祷師」、滞在先であるコテージのオーナー、原田淑人《はらだとしと》さんとの交流を交えながら、なにかから

☆1　以下を参照。URL= http://www.api-fellowships.org/body/profile_detail.php?user_id=340

「逃げている」作者の思考の旅の軌跡が描かれる。

本書は三章に分かれている。

第一章では、イギリスのバンド、ラヴ・アンド・ロケッツの歌詞を起点に、人間と「自然」についての思索が進む。はじめて足を踏み入れたシキホール島の景色や、そこで出会う人々とのエピソードを交えながら、プラープダーはスピノザの汎神論を紹介する。そこで彼は、自然を「他者」として切り離し、そこに「神聖さ」を付与する人間や、自分自身への疑問を投げかける。

第二章でプラープダーは、シキホール島の魔女・祈祷師である「マナナンバル」と出会う。

ここで参照されるのは、作家・思想家のヘンリー・デイヴィッド・ソローとテロリストのテッド・カジンスキーという、一見関連のない二人の人物だ。だがソローの「孤立」にしても、カジンスキーの革命を志向したテロリズムにしても、その根底にあるのは、「自然に近づく」ことや、「自然に帰る」ことを求める思想である。つまり、彼らは自然をある種の霊的な理想郷として人間から切り離し、称揚しているのだ。二人のマナナンバルとの交流から「失望」を覚え、さらに、自然の「美」に混乱させられるプラープダー。そこには、プラープダー自身がもつ「超越したもの」への憧憬が見え隠れする。

第三章では、島の子どもたちのために活動を続ける淑人さんや、島を離れようと考えるマックスとエドウィンの姿を近くで目にする中で、自然に近づいたり、自然に帰ったりするのとは異なる、「生活」のあり方を考えることになる。

ここでは、地球に「ガイア」という名前を与え、それ自体が人間と同様の生物であるとみなすジェームズ・ラヴロックと、人間・生物・無生物を等しく神の創造物であると考え、分け隔てのない愛を注いだアッシジの聖フランシスコの思想が参照される。だが、これらの思想もまた、自然に対して「ロマンティック」な意味を見出すものであることに変わりはない。つまり、人間の理性や認識の範疇を超えたところに自然を置き、そこに美や愛や憧れといった、主観的で感情的な関係を生み出そうとしている。

こういった思想は、選択する余裕をもち、自らの行動や思想を守ろうとする中産階級が、自身に正当性を与えるために利用するものであるとプラープダーは批判する。

そしてその思索の旅路は、ふたたびスピノザのもとに戻っていくのである。

「自由意志」に関するスピノザの思想に触れながら、プラープダーは、人間・自然・神・あらゆるものは、ひとつの身体として存在すると述べる。それは、単に人間と万物が同一のものであるというだけでなく、同時に、その身体におけるひとつの「器官」、ひとつの「様態」として人間が存在しているということだ。身体の構成要素のそれぞれがそれぞれとして存在しており、同一でありながら、異なっている。そして、その様態のための空間において、人間は自分たちの存在、行為、その「意志」や価値を認識する。否定できないその存在を認めたときに、自分たちの生と生活がふたたび見えてくることになる。

都市の人間としての自らの生を認めたプラープダーは、旅を終え、シキホールを離れる。

2

タイの大手英字新聞・テレビ局グループである「ネーション」の創設者であるスッティチャイ・ユンと、女性向けファッション誌『ララナー』の編集長を務めたナンタワン・ユンのあいだに生まれたプラープダーは、タイの中学校を卒業すると、アメリカに渡る。ニューヨークのクーパー・ユニオンで美術を修めた彼はタイに帰国し、一九九九年ごろから雑誌や新聞で短編や映画批評を発表するようになる。

二〇〇〇年に、ニューヨークを舞台にさまざまな人間模様を描いたはじめての短編集『直角の都市』(เมืองมุมฉาก)が発売されると、その独特の文体やグラフィックノベル的ともいえる実験的な装丁が人気を博す。同年に発表した短編集『可能性』(ความน่าจะเป็น)が二〇〇二年の東南アジア文学賞を受賞すると、メディア王を父にもち、ニューヨーク帰りであるというそのバックグラウンドや、二九歳という若さとスタイリッシュないでたちも注目されて、プラープダーは時の人となった。周囲の人間との紐帯をもたない都市生活者を登場させ、不条理に満ちた「筋のない物語」を描く、「新世代」の「ポストモダン」文学と評された短編集『可能性』は、現在までに四〇刷を数えるベストセラーになっている。

小説やエッセイだけでなく、映画脚本の執筆、グラフィックデザイン、音楽へと活動の幅を広げたプラープダーは、二〇〇〇年代初頭のタイにおけるカルチャーアイコンのひとりとなっていった。

この「プラープダー現象」を考える上で、一九九〇年代から二〇〇〇年代のタイの社会・文化の状況を検討することは有益だろう。

一九七三年の学生革命により、戦後のタイで長く続いてきた軍主導の政治体制が崩壊し、民主主義体制に移行する。だが左派学生たちの運動は急進化を続け、一九七六年の一〇月六日事件によって弾圧される。活動家たちの一部は森へ入り、タイ国共産党との合流を図るが、中国共産党からの支援の低下や内部分裂が起きる。さらに、一九八〇年から首相の座についたプレーム・ティンスーラーノンが共産主義者への宥和政策をとったことで、タイの共産主義運動が事実上瓦解する。混乱の続いたタイ社会が安定期に入る中、一九八五年に発表されたプラザ合意の影響で、日本だけでなく、アジアNIES（新興工業経済地域）と呼ばれる国と地域、具体的には韓国、台湾、シンガポール、香港からの、ASEANへの直接投資が増加する。

九〇年代に入ると、世界の東西対立の解消にともない、チャートチャーイ政権下で「インドシナを戦場から市場へ」というスローガンが掲げられた。そして、アジアNIESの次なる経済圏として、タイを中心としたインドシナ四国による経済圏構想が進められていく。九二年には、バンコク・オフショア市場の開設が閣議決定され、外貨の流入が加速した。こうして経済発展が進む中、タイの都市中間層が増加していくことになる[☆2]。その後、一九九七年のアジア通貨危機によって一時的なブレーキこそかかるが、二〇〇〇年代前半に至るまで、恒常的な経済成長が続いた。

国内で経済発展が続く中、タイのサブカルチャーも、国際的な人・モノ・金の交流の中に位置づけられていく。そして、さまざまな分野でこれまでにはなかったような作品や表現が見られるようになっていった。

この時期の変化の特徴を挙げるとすれば、「ゴー・インター」（ゴー・インターナショナルの略。タイ語ではโกอินเตอร์）とも呼ばれる、新世代のタイアートやタイ映画作品の海外における認知・評価と、それに付随する形で起きる、「タイらしさ／タイっぽさ」の探求やその表現となるだろう。

たとえば、リクリット・ティラヴァニ（ฤกษ์ฤทธิ์ ตีระวนิช）が、ニューヨークのギャラリーを訪れた観客にパッタイ（タイ風焼きそば）をふるまうインスタレーション作品"Pad Thai"を発表したのは一九九〇年のことだ。「タイらしい」オブジェクトを前面に押し出して観客とのコミュニケーションを志向するリクリットの作品が国際的に大きな評価を受けて、タイの現代アートを代表する作家として認知されていったことは象徴的だ。

一九九二年には、ウティット・アティマーナ（อุทิศ อติมานะ）やミット・チャイイン

（มิตร ใจอินทร์）ら北部都市チェンマイのアーティストたちが、チェンマイ市内の公共空間で、芸術祭「チェンマイ・ソーシャル・インスタレーション」（เชียงใหม่จัดวางสังคม）を開催した。タイの地方都市の公共空間を利用することで既存の美術館や展示のあり方に疑義を唱えたこの芸術祭は一九九八年まで継続的に開催され、国際的に注目された。九〇年代の中頃からは、国際的な広告賞などへの出品が増えた広告・デザインの分野においても「タイらしさ／タイっぽさ」の探求がはじまり、「西洋を黙らせるタイ」といったスローガンが使用されるようになる［☆3］。

一九九七年には、タイ産ウィスキー「ブラック・キャット」のCMである「リット、

☆2　一九九二年五月には、前年に起きたクーデターを率いた国軍最高司令官スチンダー・クラープラユーンが首相に就任したことで、民主化を求める市民による反対運動が起き、軍との衝突で死傷者が出る。このときの市民デモを担ったのも、都市部中間層であったと言われている。

☆3　ประชา สุวีรานนท์, *อัตลักษณ์ไทย : จากไทยสู่ไทยๆ*, ฟ้าเดียวกัน, 2011, น. 16-18.

ブラックを飲む」（ไอ้ทุกที่ดื่มแบล็ค）が、世界最大規模の広告賞であるカンヌライオンズで銅賞を獲得する。金貸しヤクザの親分と貧乏な村人のやりとりという、タイでは「古典的」ともいえるプロットの中で、廉価なタイ産ウィスキーの品質を、世界的なスコッチのブランドであるジョニー・ウォーカーのブラックラベルと比較しながら宣伝するものだ。この広告が大きな賞を獲得したことで、「西洋を黙らせるタイ」がますます力をもつことになる。

さらに、二一世紀が近づくにつれて、海外の映画祭に出品されるタイ映画が増えていった。

たとえば、一九五〇－六〇年代のタイ映画の色調、キャラクター、物語をオマージュして製作されたタイ風西部劇の『快盗ブラック・タイガー』（ฟ้าทะลายโจร）は二〇〇〇年に発表され、タイ映画としてはじめてカンヌ国際映画祭で上映された。タイに生きる個人がもつ記憶・想像力と、タイという空間が内包する記憶・想像力が物語として編みあわされているアピチャッポン・ウィーラセタクンの初の長編映画『真昼の不思議な物体』（ดอกฟ้าในมือมาร）が発表されたのも二〇〇〇年のことだ。

いっぽう、同時期には、ナショナリズム高揚映画とも呼べる作品も多く発表されている。たとえば、アユッタヤー王朝期のビルマとの争いで活躍した王妃スリヨータイの生涯を描いた『スリヨータイ』（สุริโยไท）が二〇〇一年、権威主義体制下で抑圧されたタイ伝統音楽家の抵抗とその生涯を描く『風の前奏曲』（โหมโรง）が二〇〇四年に発表され、国際映画祭にも出品された。

ジャンルも、思想も、物語の方向性も大きく異なるこれらの映画がタイの「ニューウェーブ映画」という形でひとくくりにされ、具体的な「タイらしさ／タイっぽさ」についての検討がなされることなく「インターナショナルなタイ映画」という評価のもとにタイ国内で称賛されたのは、興味深い現象といえるだろう［☆4］。

☆4　อาดาดล อิงคะวณิช, "ดูเรา ดูเขา ดูเรา : การดิ้นรนเพื่อเป็น 'สากล' ของหนังไทย," *อ่าน*, 1: 4, 2009, น. 24–25.

また、こうした「タイらしさ／タイっぽさ」の文脈からは外れるが、大手二大音楽レーベルへのオルタナティブとして独立系レーベルの〝Bakery Music〟が設立されたのが一九九四年、さらに、インディーズ音楽ブームの牽引役となった〝Smallroom〟、〝Panda Records〟、〝Hulampong Riddim〟の三レーベルは、どれも一九九九年に設立されている［☆5］。

こういった時代に登場したプラープダー・ユンは、まずなにより、九〇年代－二〇〇〇年代の新しいサブカルチャーの担い手として受け入れられた。その創作活動の中心は文学にあったが、そこを起点に映画・音楽・デザインなどの分野と接続し、より広範な文脈のなかで受容されるようになっていった。後述するカルチャー誌の表紙への登場などは、その証左ともいえるだろう。

さらにサブカルチャーにおいて「世界におけるタイ」が議論されるようになった状況の中、「世界」から「タイ」に戻ってきたプラープダー・ユンが、活況を呈する「タイらしさ／タイっぽさ」の空気に迎合しない作品を次々と発表したことで、その存在がなお浮き上がって見えた側面もあるだろう。西洋を中心とした「世界」との比較の中で「タイ」のアイデンティティを獲得しようとする大きな流れに逆らうような形で、「タイらしさ」に頼ることなく、「世界」に媚びることなく「プラープダー・ユン」としての立ち位置を確立したことが、現代タイの文化状況における彼の存在を特異なものにしていった。

3

つぎに、同時代の文学・出版界の状況を見てみよう。

第二次世界大戦後のタイ文学においては、「生きるための文学」(วรรณกรรมเพื่อชีวิต) と

☆5　木村和博「90年代から2010年代のタイのポップカルチャー」、ウティット・ヘーマムーン、岡田利規『憑依のバンコク：オレンジブック』、白水社、二〇一九年、五八頁。

いう潮流の影響が支配的だった。これは、作家は虐げられた弱き人々の声を代弁し、彼らを導き、理想的な社会と政治のあり方を提示すべきであるという考え方で、評論家のスパー・シリマーノン（ศุภา ศิริมานนท์）や、作家のアッサニー・ポンラチャン（อัศนี พลจันทร）を中心に浸透していった。この潮流は、国内の政治的動乱が一時的に落ち着いた一九九〇年代においても続いていた。多くの作家が「生きるための文学」の桎梏《しっこく》から逃れきれずにおり、傑出した作品を執筆する作家は決して多くはなかった。

同時に、前述のような海外資本の大規模な流入が起きたことで、市場経済が出版界の動向にも大きく影響を与えるようになった。そして、「広告」がその重要性を増したことで、出版における「冒険」も難しくなっていた。

そうした中でアジア通貨危機が発生し、文学を含むタイの出版業界は打撃を受ける。しかし同時に、複雑な社会の状況を理解するための新しい「知」や「情報」が求められるようになった。その結果、前述したサブカルチャーの勃興とも並行して、新しいタイプの書籍や雑誌が生まれるようになっていった。

代表的なものとしては、二〇〇〇年発刊のカルチャー誌"a day"だろう。「インディーズ音楽」「高齢者」「イスラーム」「眼鏡」「テレビゲーム」など、ありとあらゆるテーマを特集し、それまでの雑誌とは異なるしゃれた装丁とアートワークで若者に向けて発信する"a day"は、タイにおける雑誌のあり方を変えた。創刊号の表紙には"New Age!"の文字とともに、四人の若手のポートレートが用いられている。そこには、映画俳優、モデル、ホテル経営者一族の御曹司とともにプラープダー・ユンの姿がある。

文学界においても、若い作家たちが文芸誌や評論誌を発行するようになる。二〇〇〇年には、プラープダーと同世代の作家ニワット・プッタプラサート（นิวัติ พุทธประสาท）らを中心に文芸誌『草地』（สนามหญ้า）が発行される。『草地』はわずか六号のみの発行となったが、その活動はミニコミ誌"Alternative Writers"に引き継がれ、現在では、ニワットを中心とした作家コレクティヴの通称としてその名前が使用されている。

また、出版社「庶民」（สามัญชน）を主宰していた編集者のウィアン・ワチラ・ブアソン（เวียง-วชิระ บัวสนธ์）と、作家で編集者のワート・ラウィー（วาด รวี）は、この時期に出版社「地下本」（หนังสือใต้ดิน）の設立、書店「地下書店」（ร้านหนังสือใต้ดิน）の開店、文芸誌〝Underground Buleteen〟の発行を立て続けにおこなう。短編と詩の掲載を主とした「草地」に比べて、〝Underground Buleteen〟は多くの文芸批評や論考を掲載していた。

この流れの中、文学作品の傾向も、それまでの「生きるための文学」の影響を脱していく。先述の『草地』に掲載されている作品を見てみても、それまでのタイ文学作品のような大きな社会的文脈からは距離を置き、「個人」の小さな物語を描く作品が多い。同時に、たとえばこの『草地』が、編集者のスチャート・サワッシー（สุชาติ สวัสดิ์ศรี）によって一九七八年に創刊された文芸誌『花環』（ช่อการะเกด）に作品を掲載していた作家たちを中心に発行されたように、多くの作家・編集者たちはそれまでのタイ文学界の文脈を引き継いで活動していた。

プラープダーも含め、二〇〇〇年前後の作家たちは、その物語性から「個人の文学」とひとくくりにされることが多い。だがタイ文学の文脈と直接つながらないプラープダーが登場し、既存の文学的規範が揺さぶられることになった。そのことで、新奇性がことさらに強調された側面はあるだろう。

4

このように、一九九〇年代から二〇〇〇年代初頭のタイにおける社会・文化・文学状況の中でプラープダー・ユンの存在が特徴づけられていった。

ただ、同時期のタイにおける批評文化の未成熟さや、東南アジア文学賞の受賞そのものがセンセーショナルなニュースとして扱われてしまったこと、そこから生まれたプラープダーに対する熱狂の影響もあって、『可能性』以後のプラープダー・ユンについて、十分な検討がなされてきたとは言いがたい。『新しい目の旅立ち』をひとつの指標として、以下に試みてみる。

実のところ、そのキャリアの最初期から、プラープダーは「自然」と人間の関係についての問いかけを作中でおこなってきている。

たとえば二〇〇二年に発表されたはじめての長編小説である『クソったれ！』（ขี้แตก!）。南北に分断された西暦二一二三年のタイを描くSF小説だ。大富豪の娘の誘拐事件に巻き込まれた主人公の凄腕ハッカー、チャックが出会うのは、禅の思想をもとにヒッピー・コミュニティを形成する謎の活動家だ。そこでは、未来の世界の物質的な繁栄を避けて、「自然」に寄り添った暮らしを志向する人々の姿が描かれている。

また、二〇〇六年に発表された長編小説『粉雪の下に眠る』（นอนใต้ละอองหนาว）では、バンコク、ニューヨーク、日光を舞台に、人びとが色情症となる謎の伝染病が蔓延する社会が描かれている。欲望に自我を奪われていく登場人物たちが、ふだんの生活から「離脱」して、「森＝自然」に「帰って」いく物語は、本書で触れられている人間の「孤立」を想起させる部分もある。

この時期、すなわち本書における「旅」に出る前のプラープダーは、人間と自然を切り離す、単純な対立の構図をもとに物語を紡いでいる。それが、本書で語られた自身の思考への飽きと思索の旅を経て、変化していく。その意味では、『新しい目の旅立ち』は、プラープダー・ユンという作家の自然観とその変化を示す作品であり、同時に彼の創作におけるひとつの転換点となっている作品でもある。

『新しい目の旅立ち』で描かれるフィリピンへの旅以降、すなわち二〇〇九年以降、プラープダーが作品を発表するペースは、それ以前と比べるといっきに遅くなる。だが、そこで発表される作品には、この旅や、そこで彼が触れた汎神論の影響が明確に見てとれる。

二〇〇九年の中編小説『崩れる光』（แสงสลาย）はその好例だろう。プラープダーは単に「人間／自然」の対立構造を解消するだけでなく、「自然」の範囲を、生物だけでなく、無生物・モノまで拡張していく。

この中編小説の主人公は男やもめのテレビ修理工だ。彼は人間よりもテレビに対して強い友情を感じており、人間との関係をかえりみずにいる。彼は自分の息子よりもテレビと積極的にコミュニケーションを取ろうとするし、作中で彼の身に起こることは、同様にテレビの身にも起こりうる。単に自然の範囲が拡張されるだけではなく、人間と自然の境界線すら無効化されているという点で興味深い。

このプラープダーの思想の変化が、もう少し抽象化されて現れているのが、二〇一一年に発表された短編「棘、およびその他の信仰」（หนามและความศรัทธาอื่น ๆ）だ。『崩れる光』と同じ、「バーンルアン」という名前をもつ架空の街を舞台に、主人公の新聞記者が出会う奇妙な信仰と事件が描かれている。この作品の中でプラープダーは、「内部の世界と外部の世界の対称性を鍛える」ために編み出されたという、奇妙なポーズを主人公たちにとらせている。この「対称性」は、人間・自然・神をひとつの身体として認識しようとしたプラープダーの思想と響きあうものがある。

「旅」以降の、これらの試作を経て、プラープダーは『新しい目の旅立ち』を上梓することになる。デビュー当時から続いた、彼の「自然」に関する探求の、ひとつの帰結ということもできるだろう［☆6］。

5

最後に少し補足するならば、二〇一五年に本書が発表されたその後景には、混迷を続けるタイの政治状況がある。

たとえば彼が序文で何気なく使っている「思想調整《プラップ・タッサナカティ》」（ปรับทัศนคติ）という言葉。これは、二〇一四年の軍事クーデターで政権を握った軍部が、反体制派の市民を出頭

☆6 本節で紹介したプラープダーの作品について、邦訳されているものを記載しておく。プラープダー・ユン「粉雪の下に眠る」、宇戸清治訳『東南アジア文学』一二号、二〇一四年、一〇二–一五七頁。プラープダー・ユン「崩れる光」、宇戸清治編訳『現代タイのポストモダン短編集』、大同生命国際文化基金、二〇一二年、一四七–一八六頁。

させて軟禁した上でおこなった、一連の脅迫・尋問のことを指している。また、第三章に見られる、中産階級への冷ややかな視線の中には、二〇〇〇年代のタイに発生した分断と対立の中で軍部や王室を支持した都市中間層を非難する感情が見え隠れする。社会における「善人《コン・ディー》」（คนดี）である自分たちは、その役割を最大限に果たしているからこそ正しく、善人としてふるまうことができる。そういった中産階級の態度の裏には、タイの社会的分断と対立の中で抑圧され、命を落としていった地方の低所得者層への差別や、そこに存在する格差や不公正を正当化し、社会の変化を否定する思想が存在している。

だが同時に、プラープダー自身の出自も、その生活スタイルも、都市の中産階級のそれの範疇にあることは否定できない。彼がこの旅において自分自身の考えから逃げ続けてきたのには、そういう葛藤もあったのではないだろうか。

そう考えると、葛藤を経た上でふたたび自分の姿を受け入れようとするこの紀行書は、単なる個人的な旅の記録という以上の意味をもつ。

「タイ的」な文脈の外から現れたプラープダー・ユンが、自身が生きて、生活する社会における自らの様態を見つめ直すプロセスと、その決意表明。

それが、彼にとっての「新しい目の旅立ち」なのかもしれない。

*

本書の訳出、翻訳連載、そして単行本としての出版が実現したのは、ひとえにゲンロンのみなさんのおかげだ。出版が当初の予定よりも大幅に遅れ、大きな迷惑をかけることとなってしまった。

どこの馬の骨ともわからない大学院生が提案した企画に興味を示し、経験のほとんどなかった訳者に多大なサポートを続けてくれた東浩紀さんと上田洋子さんには、感謝してもしきれない。

そしてもちろん、この未熟な訳者に信頼を寄せてくれた、著者のプラープダー・ユンにも大きな感謝を。二〇一〇年にたまたま二人で訪れた別府の書店で、平積みの『クォンタム・ファミリーズ』を見かけたそのときには、こんな日が来るとは思ってもみなかった。

読者のみなさんが「新しい目」を見つけに出た旅の途中、疲れて眠る枕のかたわらに、この本が置かれていますように。

福冨 渉

二〇一九年一一月 鹿児島

［日本語初出一覧］

日本語版のための序文　書き下ろし

序文（目を開くまでの時間の来歴）

「新しい目の旅立ち」第1回、『ゲンロン4』、２０１６年

1　黒魔術の島　あるいは、時間のレンズの中のスピノザと蛍についてのまやかし

「新しい目の旅立ち」第1回、『ゲンロン4』、２０１６年

「新しい目の旅立ち」第2回、『ゲンロン5』、２０１７年

2　魔女　ソロー　魔術師　テロリスト　そして心騒ぐ孤独

「新しい目の旅立ち」第3回、『ゲンロン6』、２０１７年

「新しい目の旅立ち」第4回、『ゲンロン7』、２０１７年

3　まやかし

「新しい目の旅立ち」第5回、『ゲンロン8』、２０１８年

「新しい目の旅立ち」第6回（最終回）、『ゲンロン9』、２０１８年

ตื่นบนเตียงอื่น
TOEN BON TIANG EOEN
by
Prabda Yoon

First published in Thailand by Typhoon Studio.
First published in Japan in 2020 by Genron Co., Ltd.
Translated by Sho Fukutomi
Japanese translation rights arranged with Prabda Yoon through Sho Fukutomi.

ゲンロン叢書｜004

新《あたら》しい目《め》の旅立《たびだ》ち

発行日　二〇二〇年二月五日　第一刷発行

著者　プラープダー・ユン

訳者　福富《ふくとみ》渉《しょう》

発行者　上田洋子

発行所　株式会社ゲンロン
一四一－〇〇三一
東京都品川区西五反田一－一六－六　イルモンドビル二階
電話　〇三－六四一七－九二三〇
FAX　〇三－六四一七－九二三一
info@genron.co.jp　http://genron.co.jp/

装幀・組版　水戸部功＋北村陽香

印刷・製本　株式会社シナノパブリッシングプレス

ISBN 978-4-907188-34-4 C0098

小社の刊行物
2020年2月現在

ゲンロン叢書 001	ゲンロン叢書 002	ゲンロン叢書 003	ゲンロン0	
新復興論	新記号論	テーマパーク化する地球	観光客の哲学	ゲンロン
	脳とメディアが出会うとき			
小松理虔	石田英敬 東浩紀	東浩紀	東浩紀	東浩紀編

新復興論（小松理虔）

復興は地域の衰退を加速しただけだった——。震災後、政治的二項対立に引き裂かれた日本で、「課題先進地区・浜通り」から全国に問う、新たな復興のビジョン。第18回大佛次郎論壇賞受賞。 定価2300円＋税

新記号論（石田英敬 東浩紀）

洞窟壁画から最新の脳科学までを貫く、白熱の連続講義が待望の書籍化。テクノロジーが生活を規定する現代、人文学はどうあるべきなのか。2人の哲学者が記号論を刷新する、知的冒険の記録。 定価2800円＋税

テーマパーク化する地球（東浩紀）

世界がテーマパーク化する〈しかない〉時代に、人間が人間であることは可能か——震災後の47のテクストを編んだ最新評論集。哲学し、対話し、経営する。独自の実践を積み重ねてきた批評家が投げかける、新時代の知の指針。 定価2300円＋税

観光客の哲学（東浩紀）

ナショナリズムが猛威を振るい、グローバリズムが世界を覆う時代に、新しい哲学と政治思想の足がかりはどこにあるのか。著者20年の集大成、渾身の書き下ろし。第71回毎日出版文化賞受賞。 定価2300円＋税

ゲンロン（東浩紀編）

ソーシャルメディアに覆われ、言葉の力が数に還元される現代。その時代精神に異を唱え、真に開かれた言説を目指し、創刊された批評誌シリーズ。2019年、第2期始動。既刊10冊。 定価2300〜2400円＋税